Pharmacologie
et thérapeutiques

Chez le même éditeur

Pharmacologie et thérapeutiques

UE 2.11

Thibaut Caruba
Pharmacien à l'hôpital européen Georges-Pompidou

Emmanuel Jaccoulet
Pharmacien à l'hôpital européen Georges-Pompidou

Collection dirigée par Laurent Sabbah

3e édition

Elsevier Masson

ELSEVIER

Elsevier Masson SAS, 65, rue Camille-Desmoulins, 92442 Issy-les-Moulineaux cedex, France

Pharmacologie et thérapeutiques – Unité d'enseignement 2.11, 3e édition, par Thibaut Caruba et Emmanuel Jaccoulet

© 2018, Elsevier Masson SAS
ISBN: 978-2-294-76059-4
e-ISBN: 978-2-294-76071-6
Tous droits réservés.

Abréviations

ADN	acide désoxyribonucléique
ADP	adénosine diphosphate
AINS	anti-inflammatoire non stéroïdien
AIT	accident ischémique transitoire
ALD	affection longue durée
AMM	autorisation de mise sur le marché
ANSM	Agence nationale de sécurité du médicament et des produits de santé
AOD	anticoagulant oral direct
AOMI	artériopathie oblitérante des membres inférieurs
ARC	attaché de recherche clinique
ARN	acide ribonucléique
ARS	agence régionale de santé
ATU	autorisation temporaire d'utilisation
AVC	accident vasculaire cérébral
AVK	antivitaminique K
BHE	barrière hématoencéphalique
BPCO	bronchopneumopathie obstructive chronique
CBU	contrat de bon usage
Cf	concentration finale
Ci	concentration initiale
Clr	clairance rénale
Cm	concentration molaire
cm	concentration pondérale
CME	commission médicale de l'établissement
COMED	comité du médicament
DFG	débit de filtration glomérulaire
DGS	Direction générale de la santé
DJIN	dispensation journalière individuelle et nominative
DM	dispositif médical
DMI	dispositifs médicaux implantables
EP	embolies pulmonaires
EPPI	eau pour préparation injectable
EPPR	évaluation des pratiques professionnelles
ETEV	évènement thromboembolique veineux
FA	fibrillation auriculaire
HAS	Haute Autorité de santé
HBPM	héparine de bas poids moléculaire

HNF	héparine non fractionnée
HTA	hypertension artérielle
IDE	infirmier diplômé d'État
IDM	infarctus du myocarde
IM	injection intramusculaire
IMAO	inhibiteur de la monoamine oxydase
IMiDS	immunomodulateurs
IRSNA	inhibiteur de la recapture de la sérotonine et de la noradré-naline
ISRS	inhibiteur sélectif de la recapture de la sérotonine
IV	intraveineux
K_a	constante d'affinité
K_d	constante de dissociation
LAL	leucémie aiguë lymphoblastique
LCS	liquide cérébrospinal
LI	libération immédiate
LH	lymphome hodgkinien
LLC	leucémie lymphoïde chronique
LNH	lymphome non hodgkinien
LP	libération prolongée
NACO	nouveaux anticoagulants oraux
PSE	pousse seringue électrique
RCP	Résumé des caractéristiques du produit (monographie)
SC	sous-cutanée
sc	surface corporelle
SCA	syndrome coronaire aigu
T2A	tarification à l'activité
TVP	thrombose veineuse profonde
UI	unité internationale
Vd	volume de distribution
Vf	volume final
Vi	volume initial

Table des matières

3 **Semestre 5**

4 **Auto-évaluez-vous !**

Semestre 1

1. Principes de chimie pertinents à la pharmacologie

Matière

Définition

Tout élément occupant un volume avec une masse est une matière. La matière peut exister sous différentes formes :
• matière solide ;
• matière liquide ;
• matière gazeuse (un gaz occupe tout le volume qui lui est offert).

La **matière non vivante** rassemble les atomes, et les (macros) molécules. La **matière vivante** rassemble les cellules et l'organisme.

Composition de la matière

Toute matière est constituée d'atomes plus ou moins reliés entre eux pour former des molécules. Un **atome** est composé d'un **noyau** chargé positivement et d'un ou plusieurs **électrons** chargés négativement gravitant autour du noyau. Chaque noyau rassemble deux types de particules : les **neutrons** et les **positrons**.

Les atomes diffèrent par leur nombre de protons, de neutrons ou d'électrons. Il existe 112 éléments (tableau périodique) de composition atomique différente. Chaque atome est identifié par :
• un **numéro atomique** : nombre de protons du noyau ;
• un **nombre de masse** : somme des masses des protons et des neutrons ;
• une **masse atomique** : masse moyenne des nombres de masse des isotopes.

$$^8O$$
OXYGÈNE
16,00
Masse atomique M = 16 g.mol^{-1}

Les atomes se lient entre eux par des liaisons chimiques pour former des molécules. Un ensemble de molécules identiques ou différentes peuvent constituer une matière ou un mélange de matière. Toute matière est donc un ensemble d'éléments chimiques avec des propriétés physico-chimiques spécifiques lui conférant des aspects particuliers (liquide, gaz, solide, couleur, forme, résistance, élasticité, plasticité, dureté, odeur, etc.).

Liaisons chimiques

Définition

Les atomes s'associent entre eux pour former des structures chimiques plus ou moins complexes. Ces structures chimiques peuvent être des **molécules**, des **groupements de molécules**, ou encore des **complexes ioniques**.

La stabilité d'une molécule est assurée par des **liaisons chimiques** entre ses atomes. Ces liaisons résultent d'un **équilibre entre forces d'attraction et forces de répulsion** entre les atomes chargés situés à une certaine distance l'un de l'autre.

Il existe deux grands types de liaisons chimiques : la **liaison covalente** et la **liaison faible**.

La liaison covalente : elle met en jeu un appariement d'électrons (Modèle de Lewis). Ce sont des liaisons chimiques de **forte énergie**. Cette énergie est nommée **énergie de liaison**. L'énergie de liaison correspond à l'énergie nécessaire pour briser la liaison et libérer les atomes reliés entre eux.

$$H \text{——} O \text{——} H$$

La liaison faible : elle est de nature électrostatique (**forces de van der Waals**) ou faite de **liaisons hydrogènes** (ou liaison H). Les liaisons H participent à la conformation et à la stabilité de certains complexes moléculaires biologiques. La liaison faible est une **liaison chimique de faible énergie** mettant en jeu des interactions entre molécules ou ions. Elle est aussi appelée **liaison non covalente**.

Ex. : les liaisons H entre les deux brins de la molécule d'ADN.

 Il existe d'autres liaisons faibles impliquées dans la stabilité des structures cristallines. Dans ce cas, il s'agit de forces de cohésion reliant des ions organisés de manière originale entre eux. Ex. : le sucre, le sel, le flocon de neige, etc.

La liaison covalente est généralement peu utilisée en pharmacologie. En thérapeutique anticancéreuse, elle est par contre recherchée avec les **agents alkylants**.

Liaisons réversibles

Les interactions moléculaires conduisent dans les conditions favorables à des liaisons réversibles. Il s'agit d'une liaison faible entre deux molécules faisant intervenir des forces électrostatiques ou forces de van der Waals. Elles sont dictées par une **constante de dissociation K_d** et une constante d'affinité K_a.

L'affinité mesure la capacité qu'à un principe actif (ou une substance) à se lier à sa cible. Elle se définit par une constante K_d appelée **constante de dissociation**. K_d représente le rapport de la vitesse de dissociation sur la vitesse de liaison. La **constante d'affinité K_a** est l'inverse de K_d. K_d est égal à la concentration nécessaire en principe actif pour occuper 50 % des récepteurs.

Plus K_d est petit, plus la vitesse de liaison est grande par rapport à la vitesse de dissociation et donc plus l'affinité est grande.

L'action pharmacologique des principes actifs repose en partie sur le principe des liaisons réversibles dans le cas des **liaisons à un récepteur membranaire**, ou encore le système **inhibition/activation enzymatique**.

Acides et bases

Définitions : selon Brønsted et Lowry

- Un **acide** est un composé (ion ou molécule) capable de **libérer un ion H^+**. Un acide possède donc le plus souvent un atome d'hydrogène dans sa formule (l'inverse n'est pas vrai). Si l'acide libère un seul proton H^+, il est dit **monoacide**. S'il en libère deux, il sera alors **diacide**. Un composé peut être **polyacide**.
Ex. : $H\text{-}Cl \leftrightarrow Cl^- + H^+$
$H\text{-}Cl$ est un acide.
- Une **base** est un composé (ion ou molécule) capable de **capter un ion H^+**. Une base possède donc un doublet d'électrons libre. Si la base capte un proton, elle est dite **monobase**. Si elle en capte deux, elle sera **dibase**. Un composé peut être **polybasique**.
Ex. : $NH_3 + H^+ \leftrightarrow NH_4^+$
NH_3 est une base.
- Un **couple acidobasique** est un couple de deux composés acide et basique associés l'un à l'autre par la relation : acide $\leftrightarrow$ base $+ H^+$. On dit qu'ils sont **conjugués**.

Ex. : le couple NH_4^+/NH_3 où NH_4^+ est l'acide et sa base conjuguée est NH_3.

- La définition de l'acide et de la base selon Brønsted et Lowry sous-entend que l'eau (H_2O) peut se comporter soit comme un acide ou soit comme une base.
- Il existe des **acides forts** et des **bases fortes**.
- Les acides forts sont des acides dont la réaction de libération du proton H^+ est totale en solution. C'est-à-dire qu'il ne reste plus de composé initial, la dissociation étant totale.
- Les bases fortes sont des bases dont la réaction de captation du proton H^+ est totale en solution. Cette réaction est également totale.

Ex. : $H\text{-}Cl \rightarrow Cl^- + H^+$
HCl est un acide fort.

Dans le cas d'une réaction complète, la nomenclature exige une simple flèche allant dans le sens de la transformation chimique. Par opposition, une réaction incomplète est symbolisée par une flèche double sens (ou deux flèches en sens contraires).

Par analogie, il existe des **acides faibles** et des **bases faibles**. La réaction en solution n'est pas totale et les espèces acide/base conjuguée sont en **équilibre**.
Ex. : $CH_3COOH \leftrightarrow CH_3COO^- + H^+$ – acide faible CH_3COOH et sa base conjuguée CH_3COO^-.

Force d'acidité

La force d'un acide (ou d'une base) est évaluée par une **constante pKa** (ou pKb). Cette constante correspond au **logarithme de la constante de dissociation Ka**. Ka (ou Kb) rend compte du caractère total ou partiel de la réaction de dissociation des acides (ou des bases) en solution aqueuse. **Le pK est une échelle de la force d'acidité d'une molécule.**
pKa = – Log Ka → plus le pKa est petit, plus fort est l'acide.

En chimie, pour des raisons de simplicité, seul le pKa est utilisé pour évaluer à la fois la force d'un acide ou celle d'une base.

pH

Par analogie avec le pKa, une solution aqueuse peut être caractérisée par son **pH**. Le pH correspond à la **force d'acidité d'une solution aqueuse**. Il a une valeur comprise entre 0 et 14. Les **solutions acides** ont un pH compris entre **0 et moins de 7** ; **les solutions basiques** ont un pH d'une valeur comprise entre **plus de 7 et 14**. Les **solutions neutres** possèdent **un pH égal à 7**.

Le pH reflète la **concentration en ion acide [H_3O^+]** (appelé **ion hydroxonium**) d'une solution aqueuse. Une **solution neutre** possède autant d'acides que de bases. L'eau pure est constituée d'autant d'ions H_3O^+ que d'ions OH^-. Lorsque d'autres éléments sont dissous dans de l'eau pure, il se crée un déséquilibre quantitatif entre les ions OH^- et les ions H_3O^+. Ce déséquilibre se manifestera par une modification de la concentration en ion H_3O^+ et donc une modification du pH d'origine.

Dans le cas d'ajout d'un acide fort de concentration C dans de l'eau :
- $H\text{-}Cl \rightarrow Cl^- + H^+$ (1) ;
- $2H_2O \leftrightarrow H_3O^+ + OH^-$ (2) ;
- de (1) et de (2), il s'ensuit : $H\text{-}Cl + H_2O \leftrightarrow Cl^- + H_3O^+$ (3).

La dissociation de HCl dans l'eau est totale (1) donc on peut dire de façon approximative que tout HCl sera transformé en ion H^+. Les ions H^+ issus de HCl seront captés par H_2O (base selon la définition de Brønsted et de Lowry) pour former H_3O^+ (3). L'équilibre entre H_2O et les ions H_3O^+ et OH^- est rompu. Il y a un excès d'ions H_3O^+ provenant uniquement de HCl. On peut donc par approximation estimer que : [H_3O^+] = [HCl] = C et que **pH = − log C** (cas d'un acide fort)

La mesure du pH d'une solution peut se faire au moyen d'un papier pH, indicateur coloré qui change de couleur au contact de la solution, indiquant ainsi le niveau du pH. Les valeurs plus précises sont obtenues au moyen d'un pH-mètre.

Dans le cas des acides faibles et des bases faibles, leur dissociation dans l'eau pure n'étant pas totale, il est important d'introduire le paramètre de dissociation Ka (ou pKa) afin de rendre juste la valeur du pH de cette eau. Ainsi, les protons H_3O^+ formés dans l'eau dépendent du degré de dissociation de H^+ provenant de l'acide.

Tampons

Les tampons sont des **systèmes chimiques** (couples d'acide et de base conjuguée) dont la propriété est de **s'opposer aux variations du pH** d'un environnement. C'est **l'effet tampon**.
Le mécanisme chimique repose sur la captation des ions H^+ par la base si le pH diminue ou la libération d'ions H^+ par l'acide si le pH augmente.

Il existe un équilibre entre l'acide et la base du tampon dont la dissociation n'est pas totale. L'excès ou la diminution des protons H^+ va favoriser le déplacement de l'équilibre vers un sens ou l'autre.

Le corps humain maintient ainsi le **pH sanguin (7,35 à 7,45)** avec le système tampon acide carbonique/bicarbonate.

Solutions aqueuses

Définition

Dispersion homogène d'un ou plusieurs constituants dans un liquide à l'échelle **moléculaire**.

Le liquide de dispersion est appelé le **solvant**. Il est le constituant majeur. Les constituants dispersés sont appelés les **solutés**. Ils rassemblent les constituants mineurs.

Concentration

Chaque solution chimique est définie par sa concentration en soluté. Elle exprime le nombre de mole par volume de solution ou la quantité en gramme par volume de solution. On détermine alors deux grandeurs : la concentration molaire (Cm) et la concentration pondérale (cm).

Concentration molaire :
- s'exprime en **mole/L** ou **mol.L^{-1}** ;
- **Cm = nombre de moles de soluté/volume de la solution**.

Concentration pondérale :
- s'exprime en **g/L** ou en **g. L^{-1}** ;
- **cm = quantité en masse de soluté/volume de la solution**.

 Les concentrations des solutions thérapeutiques sont souvent exprimées en concentration pondérale, avec une unité massique adaptée : mg/mL.

Une autre forme de concentration pondérale est souvent utilisée en milieu pharmaceutique. Il s'agit du gramme de soluté pour 100 mL de solvant (1 %). Une solution de NaCl 0,9 % correspond à 0,9 g de NaCl dissous dans 100 mL de solvant. Connaissant la masse molaire du Na et du Cl (MM_{Na} = 23 g.mol^{-1}, MM_{Cl} = 35,5 g.mol^{-1}), il en revient à une solution de NaCl à 0,15 mol.L^{-1}.

Titre alcoolique

Les solutions alcooliques sont souvent exprimées en titre alcoolique. Exprimé en %, il caractérise la masse de soluté par la masse du solvant.

T = 100 × masse du soluté/(masse du soluté + masse du solvant).

Dilution

La dilution consiste à **diminuer la concentration** d'une solution sans modifier la quantité massique du soluté. Il s'agit alors d'augmenter le volume de solvant.

 Une dilution au $1/10^e$ correspond à la diminution de la concentration initiale d'une solution d'un facteur 10. En pratique, cela consiste à diluer 1 mL de la solution initiale X de concentration C dans 9 mL d'un solvant compatible pour atteindre un volume final de 10 mL de solution X de concentration C/10.

Caractère hydrophile et lipophile

Définition

- Un composé **hydrophile** : est un composé **miscible à l'eau, aux solutions aqueuses, et aux milieux biologiques aqueux**. La miscibilité s'explique par la capacité des molécules d'eau à solvater le composé hydrophile. Les composés hydrophiles sont donc **solubles dans l'eau** ou les solutions aqueuses.

Les composés hydrophiles sont dits **polaires**.

Ex. : glucose, sels, ions, etc.

- Un composé **lipophile** : est un composé **miscible aux substances huileuses**. Dans ce cas, ce sont les molécules huileuses qui sont capables de solvater le composé lipophile. Les composés lipophiles sont donc **solubles dans l'huile** ou les solutions huileuses. Les composés lipophiles sont dits **apolaires**.

Ex. : acides gras, hydrocarbures, cholestérol, etc.

 Cela signifie également qu'un composé lipophile pourra facilement **franchir les barrières lipidiques** telles que les **membranes cellulaires** ou la **barrière hématoméningée**.

- Un composé **amphiphile** : est un composé soluble aussi bien dans les solutions aqueuses que dans les solutions huileuses. Sa structure contient une **tête polaire** et une **queue apolaire**. Dans un mélange de deux solutions aqueuse et huileuse, ces composés ont la capacité de s'organiser à l'interface de ces solutions en orientant leur structure de telle sorte que la tête polaire soit en contact avec la solution aqueuse et la queue apolaire avec la solution huileuse.

Semestre 1

Ex. : lécithine, surfactants (ou tensio-actif).

 Les crèmes sont des dispersions d'huile dans de l'eau et nécessitent l'utilisation de tensio-actifs pour stabiliser ce mélange.

Exemple d'applications concrètes

Le clorazépate dipotassique (*Tranxène*) est indiqué dans les crises d'agitations et est disponible en solution pour perfusion.

Sa formule brute est : $C_{16}H_{11}ClK_2N_2O_4$

Deux parties constituent ce principe actif :

• une molécule correspondant à un ensemble d'atomes reliés par des liaisons covalentes : le clorazépate ;

• un ion lié à la molécule *via* des interactions électrostatiques (liaisons de faible énergie) : le potassium.

Il s'agit d'un sel de clorazépate.

Le clorazépate dipotassique est donc soluble dans l'eau et dans le sang. La dissolution du clorazépate dipotassique en faible quantité va légèrement alcaliniser une solution d'eau mais pas le sang puisqu'il s'agit d'un milieu biologique tamponné.

La liaison entre le clorazépate et le potassium est une liaison de faible énergie (complexe ionique) : il y aura relargage de potassium (19 mg/flacon reconstitué) dans le sang avec augmentation possible de la kaliémie.

2. Définitions de la pharmacocinétique

La pharmacocinétique correspond au sort du médicament (appelé aussi principe actif) dans l'organisme. Elle a pour but de définir la dose, le rythme d'administration et la durée de traitement. Elle explique qu'il est nécessaire d'adapter les traitements dans certaines situations particulières comme l'insuffisance rénale, la grossesse, etc.

La pharmacocinétique est composée de **4 étapes** qui forment l'acronyme ADME pour :

- l'**absorption**, appelée aussi résorption ;
- la **distribution** ;
- la **métabolisation**, appelée aussi biotransformation ;
- l'**élimination**.

Absorption

Définition

C'est le processus qui permet au principe actif de passer sous forme inchangée de son lieu d'application à la circulation générale.

Seuls les médicaments qui sont directement injectés par voies intraveineuse ou intra-artérielle ne sont pas concernés par cette étape. En effet, dans ces deux cas, les médicaments sont directement administrés dans le compartiment vasculaire et l'étape d'absorption n'a pas lieu.

Facteurs influençant l'absorption d'un médicament

Deux facteurs influencent l'absorption d'un médicament :

- sa structure physicochimique ;
- son lieu d'application.

▶ Structure physicochimique

Chaque principe actif a une structure physicochimique qui lui est propre. Cette structure est responsable de sa lipophilie et son hydrophilie :

- la **lipophilie** d'un principe actif fait que celui-ci est attiré par les lipides de l'organisme ;
- l'**hydrophilie** fait qu'il est attiré par l'eau de l'organisme.

▶ **Lieu d'application**

La voie d'administration d'un principe actif définit la nature du tissu cellulaire où il va être en contact pour l'absorption (passage dans le sang).

Exemples :

- **voie cutanée** : le principe actif est au contact de l'épiderme qui est un tissu peu vascularisé (la vascularisation ayant lieu plus en profondeur) et est constitué de cellules très lipophiles. Par conséquent, le principe actif passe dans le sang uniquement s'il parvient à traverser l'épiderme. Le principe actif doit alors être très lipophile ;
- **voie digestive** : le principe actif va tout d'abord passer dans l'estomac qui est un milieu très acide (pH ≈ 2 à 4), puis dans l'intestin où le pH est basique (pH > 7). L'estomac et l'intestin sont très vascularisés. Par conséquent, le principe actif passe dans les vaisseaux qui vascularisent le tube digestif s'il résiste au milieu très acide de l'estomac.

Mécanismes utilisés

Les deux grands mécanismes permettant l'absorption sont :

- la **diffusion passive** : ce mécanisme a pour but de faire passer le médicament du milieu le plus concentré vers le milieu le moins concentré (ex. : du tube digestif vers la circulation sanguine). Il ne consomme pas d'énergie. Ce mécanisme est utilisé par les médicaments sous forme neutre, c'est-à-dire non ionisée. Il est très utilisé par les médicaments lipophiles ;
- le **transport actif** : ce mécanisme requiert de l'énergie et un transporteur spécifique va prendre en charge le médicament pour le transport. Il est utilisé par les médicaments hydrophiles ou lipophiles.

Paramètres pharmacocinétiques de l'absorption

- **C max.** : concentration maximale du principe actif dans le compartiment vasculaire.
- **T max.** : temps nécessaire au principe actif pour atteindre la concentration C max.

Distribution

Lors de cette étape, le principe actif est maintenant présent dans le sang (il vient d'être résorbé = étape 1). Le principe actif doit alors aller dans les tissus et organes cibles pour avoir son action pharmacologique.

La distribution se divise en deux étapes :
- le **transport plasmatique** du principe actif ;
- la **distribution tissulaire**.

Transport plasmatique

C'est le transport du principe actif dans le sang. Il se fait grâce aux protéines plasmatiques, dont l'albumine qui représente environ 60 % de ces protéines.

Le médicament existe donc dans le sang sous deux formes :
- une **forme liée** aux protéines plasmatiques ;
- une **forme libre** (non liée aux protéines plasmatiques).

Seul le principe actif qui est sous forme libre peut traverser les membranes cellulaires et quitter le compartiment sanguin pour agir dans l'organe cible. La forme liée du principe actif est un « réservoir » bloqué dans le sang. Par conséquent, dès qu'une partie du principe actif sous forme libre quitte le compartiment sanguin pour agir, la même quantité de principe actif fixée aux protéines plasmatiques va se détacher pour devenir une forme libre à son tour. On parle d'un équilibre dynamique.

Deux états influencent le transport plasmatique :
- l'**état pathologique du patient** : un patient dénutri présente très souvent une hypoalbuminémie (= faible concentration d'albumine dans le sang). Il en résulte une augmentation de la forme libre du médicament par rapport à un sujet dont l'albuminémie est normale ;
- les **interactions médicamenteuses** : lorsqu'un médicament A et un médicament B sont administrés en même temps et ont la même protéine plasmatique de transport. Si c'est le médicament A qui a la plus grande affinité avec la protéine, c'est lui qui va se fixer en priorité. Par conséquent, la forme libre du médicament B va être augmentée dans le compartiment sanguin. Cette interaction peut conduire à un surdosage en médicament B.

Distribution tissulaire

Le sang véhicule le principe actif sous forme libre et liée jusqu'aux tissus et organes cibles. C'est au niveau des capillaires que le médicament sous forme libre passe dans l'organe cible par endocytose et/ou traversée des pores membranaires.

Il existe deux distributions spécifiques :
- la distribution dans le **système nerveux central par passage de la barrière hématoencéphalique** (BHE). La BHE est une membrane très sélective qui ne laisse passer que les médicaments sous forme libre, de petite taille, non ionisé et lipophile ;
- la **distribution fœtoplacentaire,** qui assure le passage au fœtus.

Paramètres pharmacocinétiques de la distribution

- **Volume de distribution noté Vd** : ce paramètre permet de quantifier la distribution du médicament dans l'organisme. Un principe actif qui a une grande affinité avec le compartiment sanguin a un Vd important, en revanche, un principe actif qui diffuse peu dans l'organisme a un Vd faible : de l'ordre de 4 ou 5 litres (le volume sanguin total étant de 5 litres).
- **Fixation du principe actif à l'albumine** : un médicament est dit fortement fixé à l'albumine quand le taux de fixation est supérieur à 90 %. Pour un tel médicament, il faut être vigilant aux interactions médicamenteuses et à l'hypoalbuminémie qui peuvent provoquer des surdosages par augmentation de la forme libre du principe actif.

Métabolisation

Définition

Cette étape s'appelle aussi la biotransformation. La métabolisation est une transformation par réaction enzymatique d'un principe actif en un ou plusieurs composés, appelés métabolites.

Ces métabolites peuvent avoir des propriétés pharmacologiques ou en être dénués. Classiquement le médicament administré à un patient est doué de propriétés pharmacologiques *in situ* et la métabolisation a pour but de le rendre inactif. Les trois autres situations suivantes existent :

- le médicament a des propriétés pharmacologiques *in situ* et ses métabolites en ont également ; c'est le cas des médicaments de la classe thérapeutique des benzodiazépines ;
- le médicament n'a pas de propriété pharmacologique *in situ* : on parle alors de prodrogue. La métabolisation va permettre l'obtention de métabolite actif d'un point de vue pharmacologique. Ex. : cas du captopril qui appartient à la classe thérapeutique des inhibiteurs de l'enzyme de conversion (IEC) ; cas du clopidogrel (*Plavix*) qui est une prodrogue dont l'un des métabolites est un inhibiteur de l'agrégation plaquettaire ;
- le médicament a des propriétés pharmacologiques *in situ* et ses métabolites sont toxiques pour l'organisme. Ex. : cas du paracétamol qui est métabolisé en N-acétyl-para-benzo-quinone-imine (NAPBQI) qui est hépatotoxique. À dose thérapeutique ce métabolite est éliminé de l'organisme, mais lorsqu'il y a un surdosage en paracétamol le métabolite NAPBQI provoque une hépatite cytolytique.

Mais il existe une **variabilité interindividuelle dans la métabolisation de certains médicaments**. Cette variabilité peut être source de sous- ou de surdosage et doit être connue ou recherchée dès lors que l'effet thérapeutique attendu n'est pas observé. Cette variabilité s'explique par :

- la **génétique** : certains gènes ont été identifiés comme les gènes codant pour une ou des enzymes métabolisant des médicaments. Une variabilité dans ces gènes explique que tous les patients ne métabolisent pas à la même vitesse les antivitaminiques K, l'isoniazide, etc. ;
- l'**âge** : les patients qui ont un âge extrême (nouveau-né et personne très âgée) ont un système enzymatique moins performant ;
- les **interactions médicamenteuses** avec des médicaments qui possèdent des propriétés d'inducteur enzymatique (augmentation de l'activité des enzymes) ou d'inhibiteur (diminution de l'activité enzymatique).

But

Le but de la métabolisation est de transformer le médicament en métabolites hydrophiles qui seront facilement éliminables de l'organisme par voie urinaire et/ou digestive.

Lieu

Tous les organes participent à la dégradation des médicaments (tube digestif, foie, poumon, etc.).

Le principal organe est le foie grâce à sa richesse en enzymes, notamment avec les cytochromes, dont le **cytochrome P450**. De nombreuses substances, dont des médicaments, peuvent augmenter ou diminuer la production des enzymes du cytochrome. Ces substances sont appelées respectivement les inducteurs et les inhibiteurs enzymatiques :

- les **médicaments inducteurs enzymatiques** sont : carbamazépine (*Tégrétol*), phénytoïne (*Di-Hydan*), rifampicine (*Rifadine*), etc. Une substance dite inductrice enzymatique va donc augmenter la production des enzymes assurant la métabolisation de nombreux médicaments. Par conséquent, la prise simultanée par un patient d'un médicament inducteur enzymatique (ex. : rifampicine) et d'un autre médicament métabolisé habituellement par les enzymes hépatiques du cytochrome P450 (ex. : un contraceptif oral), va augmenter la métabolisation hépatique de ce deuxième médicament et donc diminuer son efficacité ;
- les **médicaments inhibiteurs enzymatiques** sont : acide valproïque (*Dépakine*), fluconazole (*Triflucan*) et les autres antifongiques azolés, etc.

Ces substances inductrices et inhibitrices enzymatiques sont donc sources de nombreuses interactions médicamenteuses.

L'effet de premier passage hépatique correspond au passage du principe actif dans le foie et à la métabolisation de celui-ci, avant qu'il ne soit distribué dans l'organisme.

Élimination

Cette étape correspond à l'élimination de l'organisme du principe actif et/ou de ses métabolites.

La demi-vie plasmatique d'un médicament ($T_{1/2}$) est le temps nécessaire pour que la concentration plasmatique du principe actif diminue de moitié, par exemple de 100 à 50 ng/L. Les deux principaux organes assurant l'élimination sont le rein et le foie.

Élimination rénale

Elle se fait selon deux mécanismes :
- la **filtration glomérulaire** : c'est le principal mode d'élimination par le rein. Cette filtration concerne les médicaments et les métabolites qui ont une faible masse moléculaire. Seule la fraction libre de ces principes actifs est filtrée par le glomérule et donc éliminée ;
- la **sécrétion tubulaire** : c'est un procédé moins fréquent d'élimination. Par ce mécanisme, certains principes actifs et métabolites sont éliminés par des systèmes de transport spécifiques et consommateurs d'énergie.

Élimination hépatique et autres voies d'élimination

Certains métabolites sont sécrétés par le foie dans la bile, selon un procédé actif ou passif. Ces métabolites sont ensuite éliminés dans la lumière de l'intestin avec les sucs biliaires et ils sont au final éliminés dans les fèces.

Une faible portion de ces métabolites peut être réabsorbée par les cellules du tube digestif pour repasser dans le compartiment sanguin. On parle alors de cycle entérohépatique.

Exemple d'autre voie d'élimination : certains métabolites sont éliminés dans le lait maternel. Il s'agit de substances de faible poids moléculaire et très lipophile. Si la quantité de métabolites pouvant passer est faible, elle ne doit pas être négligée car elle peut provoquer des intoxications chez le nouveau-né. Ceci explique la nécessité d'interrompre certains traitements lors de l'allaitement.

Paramètres pharmacocinétiques de l'élimination

- **Clairance rénale notée Clr** : c'est la capacité du rein à extraire le médicament et/ou ses métabolites d'un volume sanguin par unité de temps. Cela s'exprime en millilitres par minute.
- **Demi-vie notée $T_{1/2}$** : c'est le temps qui permet de réduire de 50 % la concentration plasmatique maximale du principe actif. Cela s'exprime habituellement en minutes.

3. Définitions de la pharmacodynamie

Pharmacodynamie

La pharmacodynamie est une branche de la pharmacologie qui regroupe la pharmacocinétique et la pharmacodynamie. Cette dernière s'intéresse aux **effets du médicament** sur l'organisme c'est-à-dire à la fois les bénéfices et les effets secondaires. L'objectif étant d'expliciter par quel mécanisme un effet se produit sur une cellule, un tissu, ou un organe.

Effet du médicament

Résulte de l'action des propriétés biochimiques du principe actif ou de ses excipients à effets notoires sur les constituants du corps humain. Un effet peut être :
- **quantifiable** : température, pression artérielle, fréquence cardiaque, douleur, etc. ;
- **non quantifiable** : sédation, collapsus, allergies, etc.

Actions du médicament

▌ Action préventive

Action qui prévient l'apparition de maladies (ex. : les vaccins, les héparines à dose préventive).

▌ Action curative

Elle peut être :
- étiologiques : le médicament traite directement la cause de la maladie (ex. : antihypertenseurs);
- symptomatologique : le médicament traite les symptômes de la maladie (ex. : antidouleurs dans les rhumatismes);
- substitutive : le médicament apporte l'élément manquant (ex. : l'insuline chez les diabétiques).

▌ Action de diagnostic

Action qui permet d'effectuer des explorations fonctionnelles : par exemple, les produits de contrastes iodés.

Agonistes, agonistes partiels et antagonistes

- **Agoniste :** un principe actif est dit agoniste lorsque, après fixation sur sa cible, il engendre une réponse similaire à la substance endogène.
- **Agoniste partiel :** il s'agit d'un agoniste dont la réponse, identique à la substance d'origine, est incomplète. Son affinité pour le récepteur est plus faible que l'agoniste pur.
- **Antagoniste :** un principe actif est dit antagoniste si, après liaison au récepteur, la réponse cellulaire est nulle.

Cibles du principe actif

Dans l'organisme, les cibles possibles d'un principe actif sont : les enzymes, les récepteurs membranaires, les récepteurs intracellulaires, les récepteurs nucléaires, l'ADN, des protéines spécifiques. Les interactions entre principes actifs et leurs cibles sont régies par l'**affinité** laquelle est liée à la **constante de dissociation K_d** (*cf.* principes de bases de chimie).

Enzymes

Les enzymes sont des biocatalyseurs de nature protéique capables d'accélérer une réaction biochimique et donc de la rendre possible. Elles possèdent généralement deux sites : un site actif qui fixe le substrat et un site régulateur. Le **site actif** est le site de fixation de l'enzyme avec le substrat. Le **site régulateur** est le site de liaison des composés biochimiques capables de contrôler l'action d'une enzyme.

Un principe actif peut être un **effecteur** en se fixant sur le site de régulation c'est-à-dire :

- soit **activer** l'enzyme et enclencher la poursuite des réactions biochimiques ;
- soit **inhiber** l'enzyme et **bloquer** la réaction enzymatique.

Cette capacité de fixation identique à l'effecteur naturel réside dans le fait que le principe actif est une copie inexacte mais suffisante du substrat pour permettre une liaison à l'enzyme (site de régulation ou site actif).

Récepteurs transmembranaires

Ces récepteurs situés à la surface des cellules assurent une communication entre les cellules et leur environnement. Ils permettent une réponse cellulaire en fonction de différents stimuli biochimiques. Les hormones ou les neurotransmetteurs sont à l'origine de ces stimuli.

Il existe deux types de récepteurs transmembranaires : les **récepteurs à canaux ioniques** et les **récepteurs couplés aux protéines G**.

Ces récepteurs ont un **site de fixation spécifique** pour les substances endogènes présent à la surface de la structure protéique.

- **Les récepteurs à canaux ioniques** : sont des récepteurs sensibles à des substances ioniques, des neurotransmetteurs ou au stimulus électrique. La fixation d'agonistes sur ces récepteurs induit une ouverture du canal permettant une sortie ou une entrée d'ions dans la cellule selon la nature du canal ionique. Il s'ensuit une réponse cellulaire.
- **Les récepteurs couplés aux protéines G** : sont des récepteurs couplés à une protéine régulatrice G (Gs : stimulation, Gi : inhibition) d'une enzyme cytosolique. Cette enzyme gouverne la synthèse d'un **second messager**. Le second messager peut être de l'adénosine monophosphate cyclique (**AMP$_c$**), de la guanosine monophosphate cyclique (**GMP$_c$**), de l'inositol 1,4,5 triphosphate (**IP$_3$**) ou des ions calciques. L'augmentation ou la diminution de la concentration cellulaire de ces seconds messagers induit ou non une réponse cellulaire par l'intermédiaire d'activation de proche en proche de **protéines kinases**.

Récepteurs intracellulaires et les récepteurs nucléaires

Ces récepteurs sont localisés à l'intérieur de la cellule. Leur site de fixation est sensible aux **hormones**. Les récepteurs nucléaires sont localisés dans le noyau des cellules et interviennent principalement dans la régulation de la synthèse nucléaire au niveau de l'**ADN** et de l'**ARN**. L'induction ou l'inhibition de ces récepteurs entraîne un blocage ou une activation de la transcription ou de la synthèse protéique.

▶ ADN

Les mécanismes de réplication du matériel génétique obligent l'ouverture des brins d'ADN. En ce sens, la réplication des cellules cancéreuses peut être freinée en bloquant l'ouverture des brins d'ADN par formation de liaisons inter-brins.

Réponses cellulaires et les effets

Réponses cellulaires

Il s'agit d'une réponse biochimique ou physiologique à un stimulus chimique entraînant :
- une modification moléculaire ou physiologique de la cellule (excitation ou inhibition cellulaire, contraction ou dilatation musculaire);
- ou une synthèse de protéines (enzymes, activateurs);
- ou une synthèse de matériels nucléaires (ADN, ARN).

Relation dose-effet des médicaments

Les effets d'un principe actif sont la résultante d'une réponse cellulaire à l'échelle d'un organe ou d'un tissu. Les effets peuvent être mesurables et d'intensité variable (antipyrétiques, antihypertenseurs, hypoglycémiants, antiarythmiques, antidouleurs…) ou bien obéissent à la loi du tout ou rien (antianxieux, sédatifs, antidépressifs, etc.).

- Réponses mesurables : **effet d'intensité variable**. En fonction d'une dose croissante de principe actif, la réponse augmente jusqu'à stagnation (ex. : mesure de la tension artérielle).
- Réponses non mesurables : **phénomène du tout ou rien**. La réponse apparaît ou pas. On mesure dans ce cas la fréquence d'apparition de la réponse (ex. : anxiété, nausées).

Les effets thérapeutiques sont des effets recherchés et apparaissent à partir du seuil thérapeutique. Les effets toxiques sont évités et un seuil de toxicité est défini. L'intervalle entre ces deux seuils est la **marge thérapeutique**.

Mécanisme de liaisons aux cibles

Attraction chimique

Les forces électrostatiques permettent l'attraction chimique entre le principe actif et sa cible. La liaison chimique créée est une liaison de faible énergie (liaisons hydrogènes, forces de van der Waals). Cette attraction est gouvernée par l'**affinité** qui existe entre le principe actif et sa cible.

La liaison chimique aux cibles peut être spécifique, réversible et saturable.

- **Spécificité** : le principe actif doit avoir une configuration spatiale particulière pour se fixer sur sa cible. C'est le mécanisme de reconnaissance. La spécificité n'est pas toujours stricte. Les principes actifs spécifiques d'une cible au sens strict du terme sont les anticorps monoclonaux.
- **Réversibilité** : la liaison au récepteur est un phénomène passager dans le temps. La liaison est une liaison de faible énergie. Il existe un équilibre entre la forme liée et la forme non liée du principe actif.
- **Saturation** : il y a saturation lorsqu'il y a une occupation maximale des récepteurs par le principe actif. Tout ajout supplémentaire de principe actif ne modifiera pas l'effet (courbe sigmoïde de l'effet en fonction de la concentration de principe actif).

Il existe des liaisons covalentes, de forte énergie, entre un principe actif et sa cible. C'est le cas de la liaison d'un antagoniste avec l'ADN par formation d'adduits inter-brins. La liaison est irréversible.

Semestre 1

Exemple d'action pharmacologique possible des principes actifs

Voici un exemple d'actions pharmacologiques vu en détail au niveau de la **jonction neuromusculaire** dont la réponse cellulaire finale est une **contraction musculaire**. Deux phénomènes peuvent avoir lieu : d'une part, une **action cholinomimétique** c'est-à-dire une action qui renforcera l'activité cholinergique et d'autre part, une **action anticholinergique**, c'est-à-dire une action qui limitera ou annulera l'effet de l'acétylcholine.

Actions cholinomimétiques

Inhibition de l'enzyme de dégradation de l'acétylcholine : l'acétylcholine estérase est une enzyme localisée dans la fente synaptique. Elle contrôle la demi-vie de l'acétylcholine en la dégradant en acétyl et en choline. L'inhibition de l'activité enzymatique va accroître la quantité d'acétylcholine dans l'espace synaptique susceptible d'interagir avec le récepteur nicotinique. La **pyridostigmine**, comme la **néostigmine**, est une substance dite anticholinestérasique. Elles inhibent l'enzyme cholinestérase. L'objectif final de leur action est une stimulation de la transmission cholinergique de manière indirecte.

Action anticholinergique

- **Réduction de la libération de l'acétylcholine** : au niveau de la membrane présynaptique : la fusion des vésicules concentrées en acétylcholine avec la membrane présynaptique nécessite un influx d'ions calcium Ca^{2+}. Cet influx peut être stoppé par la toxine botulinique responsable de paralysie (botulisme). La **toxine botulinique** présente un intérêt dans le traitement des spasmes musculaires.
- **Blocage des récepteurs nicotiniques** : les récepteurs nicotiniques sont des récepteurs à canaux ioniques. L'activation de ces récepteurs conduit à l'entrée massive d'ions Na^+. Ce qui assure la dépolarisation de la membrane post-synaptique. Les **curares** par compétition avec l'acétylcholine se fixent sur ces récepteurs et bloquent leur ouverture. Il n'y a plus de dépolarisation membranaire (par inhibition de l'entrée d'ion Na+). L'**atracurium** ou le **rocuronium** ont des intérêts en anesthésie.

4. Formes pharmaceutiques solides et liquides

Généralités

La forme pharmaceutique d'un médicament s'appelle aussi sa forme galénique. La forme pharmaceutique doit permettre une administration simple du médicament, avec une posologie précise et garantir une stabilité physicochimique du médicament la plus longue possible.

Bien évidemment la forme pharmaceutique doit être adaptée au traitement d'une maladie déterminée.

Une voie d'administration peut avoir plusieurs formes pharmaceutiques qui lui correspondent.

Chaque médicament est composé de deux constituants :
- le (ou les) principe(s) actif(s) : c'est la substance responsable de l'effet pharmacologique du médicament ;
- l'(ou les) excipient(s) : ce sont les substances qui permettent de fabriquer la forme galénique souhaitée ; ces derniers n'ont pas de propriétés pharmacologiques et ne doivent pas interagir avec le principe actif.

Exemple, dans un comprimé d'*Augmentin* :
- le principe actif est l'amoxicilline associée à l'acide clavulanique. L'effet pharmacologique de cette association est antibactérien ;
- les excipients de ce comprimé d'*Augmentin* sont variés (amidon, etc.). Ils permettent de réaliser un comprimé solide et qui ne s'effrite pas.

Chaque forme pharmaceutique possède ensuite un conditionnement. Le conditionnement a un rôle de protection de la forme pharmaceutique et d'identification de celle-ci.

Ex. : le comprimé d'*Augmentin* est conditionné dans un blister en aluminium. Ce blister permet de protéger le comprimé de la lumière et de l'humidité, ce qui aide à une meilleure conservation du médicament. Le blister donne de précieux renseignements dont : le nom commercial du médicament (dans notre exemple : *Augmentin*), la dénomination commune internationale du principe actif (amoxicilline/acide clavulanique), le numéro de lot et la date de péremption.

Chaque forme pharmaceutique a ses caractéristiques, ses avantages et ses inconvénients. Nous allons présenter dans ce chapitre les caractéristiques des formes pharmaceutiques destinées à la voie orale et à la voie parentérale.

Formes destinées à la voie orale

Le médicament dont la forme pharmaceutique permet une administration par voie orale est absorbé par l'appareil digestif, puis passe dans la circulation sanguine pour arriver vers les organes où il exerce son action.

Formes orales sèches

Les trois principales formes pharmaceutiques orales sèches sont le comprimé, la gélule et la capsule. Leur administration se fait par la bouche : elle est dite *per os*.

▶ Comprimés

Il existe de nombreuses sortes de comprimés :
- le comprimé à **libération immédiate** : il s'agit du comprimé « classique ». Lorsqu'il est administré par la bouche, il se mélange à la salive et aux sucs gastriques où il commence à se déliter puis à former une solution ou une suspension. Le principe actif est alors libéré et il peut commencer à être absorbé par la muqueuse du tube digestif et donc passer dans la circulation sanguine. Ex. : *Augmentin* comprimé;
- le comprimé à **libération accélérée** : il s'agit du comprimé effervescent et du comprimé lyoc. Le comprimé effervescent doit être dissous dans l'eau. Ceci correspond à l'étape de libération du principe actif; étape qui se fait habituellement lentement au contact de la salive et des sucs digestifs, d'où le gain de temps. Le comprimé lyoc fonctionne comme un comprimé effervescent, mais il est placé dans la bouche et c'est la salive qui permet la libération rapide du principe actif. Ex. : *Spasfon-Lyoc, Efferalgan* effervescent;
- le comprimé **gastrorésistant** : il s'agit d'un comprimé qui ne se délite pas dans l'estomac de manière volontaire. Le délitement commence dans l'intestin. Cette forme pharmaceutique est utilisée pour les médicaments dont le principe actif est détruit par les sucs gastriques. Ex. : *Inexium* comprimé gastrorésistant;
- le comprimé à **libération prolongée** : ce comprimé permet de libérer lentement et régulièrement le principe actif. Il permet donc de réduire le nombre de prises de comprimés dans la journée. Ex. : *Modopar* comprimé LP;
- le comprimé **enrobé** : l'enrobage a pour but de masquer un « mauvais » goût et de permettre une libération du principe actif à un niveau choisi du tube digestif.

Avantages des comprimés

- Un dosage précis : chaque comprimé contient une quantité fixe et très précise de principe actif.
- Une facilité d'utilisation pour le patient et le personnel soignant.
- Un faible coût de fabrication.
- Une bonne conservation du médicament.
- Une libération du principe actif dans le tube digestif qui peut être modulée grâce aux excipients.

Inconvénients des comprimés

- Une taille de comprimé qui est parfois très grande, rendant la déglutition difficile (c'est le cas pour les jeunes enfants et pour certains patients de gériatrie ayant des problèmes de déglutition).
- Un délai d'action qui est relativement long (30 à 60 minutes) et qui, même s'il est réduit avec les comprimés à libération immédiate, reste toujours plus long qu'une injection intraveineuse.

Pratique IDE

- Ne jamais couper en deux un comprimé qui est dit à libération prolongée (noté LP), sauf si cela est écrit dans la notice du médicament. Le risque est d'avoir une libération du principe actif non maîtrisée dans le temps et proche de celle d'un comprimé à libération immédiate.
- Ne jamais couper en deux un comprimé gastrorésistant sauf si cela est écrit dans la notice du médicament. Le risque est que le principe actif se retrouve au contact du suc digestif alors qu'il devait en être protégé. Il est alors détruit par le suc gastrique et perd son efficacité.
- Certains comprimés peuvent être écrasés. Pour s'en assurer, il faut lire la notice du médicament ou contacter le pharmacien.
- Si le patient fait des «fausses routes» lorsqu'il déglutit, il faut en informer le médecin pour voir si une autre voie d'administration peut être envisagée (voie parentérale, voie percutanée, etc.).

Cas particuliers

Il existe deux cas particuliers de comprimés qui ne s'administrent pas par voie orale. Il s'agit des comprimés vaginaux (ex. : *MycoHydralin* comprimé vaginal), de comprimés qui s'implantent sous la peau (ex. : *Nexplanon*).

▶ **Gélules et capsules**

La gélule et la capsule sont constituées toutes les deux d'une enveloppe en gélatine.
La gélule contient de la poudre ou des granules.

La capsule contient un liquide généralement huileux.

Il existe deux grands types de gélule :

- la **gélule à libération immédiate** : l'enveloppe de gélatine est simple. La libération du principe actif débute dès que l'enveloppe de gélatine est dégradée par la salive et le suc gastrique ;
- la **gélule à libération prolongée** : tout comme le comprimé à libération prolongée, l'enveloppe de gélatine de cette gélule est enrobée d'une couche résistante au suc gastrique. Le principe actif sera libéré dans l'intestin.

Avantages des gélules

- Un dosage précis : chaque gélule contient une quantité fixe et très précise de principe actif.
- Une facilité d'utilisation pour le patient et le personnel soignant.

Inconvénients des gélules

- Un risque de se coller à la muqueuse de l'œsophage : il est nécessaire de bien boire en prenant une gélule pour éviter ce risque.
- Une conservation délicate dès lors qu'il fait chaud et humide.

Pratique IDE

- Bien boire en prenant une gélule pour éviter l'adhésion de celle-ci à la paroi de l'œsophage.
- Si le patient ne peut pas déglutir et que la gélule n'est pas gastrorésistante, il est possible d'ouvrir la gélule et de verser son contenu dans un verre d'eau. Pour avoir la confirmation de cette possibilité, prenez contact avec le pharmacien.
- Tout comme avec les comprimés le délai d'action observé avec une gélule est plus long qu'avec un médicament administré par voie intraveineuse.

Formes orales liquides

Les formes pharmaceutiques de ce groupe sont : le sirop (c'est la principale), la solution, la suspension et l'émulsion. Elles sont dites multi-doses car un flacon permet d'administrer plusieurs doses de médicament.

▶ **Sirop**

Le sirop est une solution sucrée et visqueuse. Il contient au moins 45 g de saccharose pour 100 g de sirop. Il s'agit d'une solution car le principe actif est entièrement dissous.

Les avantages :
- la saveur sucrée permet de masquer un goût désagréable : ceci est particulièrement adapté aux enfants ;
- simple d'utilisation ;
- forme d'action rapide, car elle ne nécessite pas de dissolution dans le tube digestif contrairement au comprimé.

Les inconvénients :
- la quantité de principe actif est un peu imprécise sauf avec l'utilisation de pipette doseuse (dose adaptée au poids de l'enfant). Il est admis qu'une cuillère à café contient 5 mL et une cuillère à soupe 15 mL ;
- la conservation est limitée après ouverture et il faut respecter ce qui est écrit dans la notice du médicament.

▶ Suspension

Dans ce cas le principe actif n'est pas dissous dans le liquide. Il est donc impératif de l'agiter pour le remettre en suspension avant de l'utiliser, sinon l'essentiel du principe actif restera au fond du flacon et l'efficacité du traitement sera moindre.

▶ Gouttes buvables

Quelques médicaments sont commercialisés sous forme de flacon contenant des gouttes buvables (ex. : *Rivotril*, *Effortil*, *Célestène* 0,05 %, *Haldol* en solutions buvables, etc.).

Le principal avantage de cette voie d'administration est la simplicité d'administration.

Les inconvénients sont :
- un tel médicament n'est pas forcément adapté à un sujet âgé (la prescription de par exemple « 10 gouttes par jour » demande une bonne acuité visuelle et une certaine précision dans l'administration) ;
- une variabilité dans les unités de prescription et de concentration. Le médecin peut prescrire 3 mg de *Rivotril* en gouttes. L'IDE devra donc vérifier la concentration pour en déduire le nombre de gouttes correspondant. Le RCP du *Rivotril* donne l'information suivante « 0,1 mg par goutte ». Le *Célestène* 0,05 % en gouttes est composé de 12,5 µg de β-méthasone par goutte.

Formes destinées à la voie parentérale

Cinq principales formes pharmaceutiques de cette voie

- Les **préparations injectables** : ce sont des solutions, des émulsions ou des suspensions obtenues avec de l'eau pour préparation injectable

(EPPI) ou un liquide stérile non aqueux ou un mélange de ces deux liquides. Ex. : *Lovenox* injectable en seringue préremplie.

- Les **préparations injectables pour perfusion** : ce sont des solutions aqueuses ou des émulsions en phase aqueuse. Elles sont destinées à être administrées en grand volume. Ces préparations sont aussi appelées les « solutés massifs ». Ex. : poche de 250 mL de chlorure de sodium à 0,9 %.
- Les **préparations pour usage parentéral à diluer** : ce sont des solutions concentrées destinées à être injectées ou administrées par perfusion après dilution dans un liquide approprié. Ex. : *Décan* flacon de 40 mL, ce flacon contient des oligoéléments et doit être dilué dans une poche de 500 mL de glucose 5 % ou une poche de 250 mL de chlorure de sodium 0,9 %.
- Les **poudres pour usage parentéral** : ce sont des substances solides et stériles réparties dans leur récipient définitif. Elles forment rapidement une solution ou une suspension après agitation avec le volume prescrit d'un liquide approprié et stérile. Ex. : *Fortum* flacon de 500 mg est à diluer dans 5 mL d'eau pour préparation injectable pour être injecté en bolus en intraveineux.
- Les **pompes** : c'est un système de réservoir qui permet d'administrer sur plusieurs heures, voire plusieurs jours, une solution. Les pompes peuvent être externes ou implantées dans le patient. Ex. : pompe à insuline.

Qualités des formes pharmaceutiques de la voie parentérale

Elles doivent être : stériles, apyrogènes, isotoniques et de pH physiologique.

- **Stérile** : c'est-à-dire sans micro-organisme vivant. La stérilisation s'obtient par la chaleur et/ou la filtration stérilisante. Toute forme pharmaceutique parentérale est stérile.
- **Apyrogène** : c'est-à-dire sans pyrogène. Le pyrogène est une substance susceptible de provoquer après avoir été injecté une brusque élévation de température corporelle, des frissons, de la cyanose, une tachycardie (accélération du rythme cardiaque), des céphalées… Les pyrogènes sont des fragments de bactéries qui sont thermostables, c'est-à-dire qui ont résisté à la stérilisation, et qui sont passés à travers les filtres antimicrobiens utilisés pour la fabrication de la forme pharmaceutique injectable. Toute forme pharmaceutique parentérale est apyrogène.
- **Isotonique** : une solution qui contient 9 g de chlorure de sodium par litre est dite solution isotonique ou physiologique. Les globules rouges placés dans cette solution ne subissent aucune agression et

conservent leur structure. En revanche, si les globules rouges sont placés dans une solution qui contient une plus faible quantité de chlorure de sodium (moins de 9 g/L), c'est-à-dire une solution hypotonique, ils vont éclater et libérer l'hémoglobine. Inversement dans une solution hypertonique, ils vont se déformer et s'écraser. Une forme pharmaceutique parentérale doit être idéalement isotonique et ceci d'autant plus qu'elle est de grand volume. Il existe des formes pharmaceutiques de petits volumes qui sont hypo- ou hypertoniques.

- **pH physiologique** : le pH de la forme pharmaceutique parentérale doit être le plus proche du pH physiologique (environ 7) car au-dessus et en dessous de cette valeur l'injection est d'autant plus douloureuse. Une forme pharmaceutique parentérale doit avoir idéalement un pH physiologique et ceci d'autant plus qu'elle est de grand volume.

Avantages et inconvénients

▶ Avantages

- L'action du médicament injecté par voie parentérale est plus rapide que par voie orale ; c'est donc la forme pharmaceutique préférée dans les situations d'urgence.
- Cette forme pharmaceutique permet de traiter quelqu'un d'inconscient.
- Absence de dégradation du principe actif par les sucs gastriques.
- Absence d'effet indésirable digestif.
- Absence d'effet de premier passage intestinal.
- Absorption intégrale du principe actif.

▶ Inconvénients

- Effraction cutanée.
- Douleur au point d'injection.
- Risque infectieux.
- Temps de préparation pour l'IDE.
- Coût élevé de fabrication.

Pratique IDE

- Attention à la quantité de principe actif qui est parfois exprimée en milligramme (mg) ou gramme (g) ou microgramme (µg) ou en unité internationale (UI).
- La préparation de la forme pharmaceutique parentérale doit se faire de manière aseptique avec du matériel stérile à usage unique (sauf pour les seringues déjà prêtes à l'emploi).

- Vérifier la limpidité quand il s'agit d'une solution injectable.
- Une suspension injectable ne doit jamais être injectée en intraveineuse.
- Toute préparation de médicament injectable à reconstituer (à dissoudre et/ou à diluer avec un solvant) doit être faite par l'IDE au dernier moment, c'est-à-dire au moment de l'injecter au patient. Il ne faut jamais faire de préparations anticipées. Ceci est un gage de sécurité.
- **TOUJOURS LIRE CE QUI EST ÉCRIT SUR L'ÉTIQUETTE AVANT D'INJECTER.**
- Enfin, et quelle que soit la forme galénique, la Haute Autorité de santé (HAS) rappelle qu'il faut toujours respecter la règle des 5B pour sécuriser l'administration des médicaments : administrer le bon médicament, à la bonne dose, sur la bonne voie, au bon moment, au bon patient.

Tableau 1. Principales voies d'administrations et formes galéniques correspondantes.

Voie d'administration	Formes pharmaceutiques
Voie orale	– Formes liquides : sirop, solution buvable, suspension buvable, etc. – Formes solides : comprimé, gélule, sachet, etc.
Voie parentérale	– Formes liquides : solution injectable, suspension injectable – Forme solide : implant
Voie percutanée	Pommade, crème, gel, lotion, etc.
Voie rectale	Suppositoire, capsule rectale, lavement, etc.
Voie ophtalmique	Collyre, pommade ophtalmique

5. Dosage, préparation et dilutions

Unités internationales

Toute prescription ou mode opératoire doit être rédigé en unité internationale.

Volume

L'unité internationale est le **litre** (L). En thérapeutique, les unités les plus employées sont le millilitre (mL) ou le centimètre cube (cm^3) aussi écrit « cc ».

- 1 L = 1 000 mL = 1 000 cm^3 (1 mL = 1 cm^3).
- 1 mL = 1 cm^3 = 1 cc.
- 1 goutte (liquide non visqueux) ≈ 0,05 mL.

Masse

L'unité internationale de la masse est le **kilogramme (kg)**. En thérapeutique, les unités de masse les plus employées sont le gramme (g), le milligramme (mg) ou le nanogramme (ng).

1 kg = 1 000 g	1 g = 0,001 kg	
1 g = 1 000 mg	1 mg = 0,001 g	
1 mg = 1 000 ng	1 ng = 0,001 g	donc 1 ng = 10^9 kg

Surface

L'unité de surface est également utilisée dans le cadre de certains médicaments injectables dont la posologie s'exprime en unité de masse par unité de surface corporelle (kg/m^2 sc).

Unité internationale pharmacologique (UI)

L'unité internationale UI est une **unité de mesure spécifique à une substance donnée** et correspond à une quantité (ou volume) relative à une activité pharmacologique. Elle permet la comparaison de l'activité biologique exprimée en UI de formulations galéniques différentes d'une substance donnée.

Ex. : héparine 5 000 UI = 1 mL → concentration : 5 000 UI/mL.

Posologie

Définitions

La posologie représente la fréquence d'administration d'une dose de médicament selon un mode d'administration.

La posologie est déterminée en fonction des **propriétés pharmacocinétiques et pharmacologiques** du médicament. Elle permet l'administration d'une quantité suffisante de principe actif au cours du traitement afin d'observer les **propriétés pharmacologiques recherchées**.

La dose de médicament représente la **quantité en unité de prise** que doit recevoir le patient.

Paramètres influents

En fonction de l'âge, du poids ou de la surface corporelle, certaines posologies sont adaptées. Il en va de même pour les paramètres cliniques. Les principaux sont :
- physiologiques :
  - âge ;
  - poids ;
  - surface corporelle.
- cliniques :
  - insuffisance hépatique ;
  - insuffisance rénale.

Les **interactions pharmacocinétiques** modifient la biodisponibilité d'un principe actif. Lorsqu'elles ne peuvent pas être évitées, il est nécessaire d'adapter la posologie.

Préparations

L'objectif de la préparation est l'adaptation d'un principe actif à un mode d'administration, une posologie, ou une indication. **La préparation finie reste un médicament.** Elle doit être **conforme à une prescription, une modalité d'administration détaillée dans le résumé des caractéristiques du produit ou un référentiel validé par un comité ou un service de l'hôpital.** L'administration du médicament doit se faire sans risque à la fois pour le patient et l'IDE.

Vérifications préalables à la préparation

- **Prescription** : identification du patient, du médicament, de la bonne forme galénique, de la bonne voie d'administration.
- **Modalité de préparation** : protocoles ou mode d'administration détaillé.

- **Produits à administrer :** aspect et date de péremption et conditions de stockage du médicament.
- **Nécessaire de préparation :** tubulure, système de transfert, poche de dilution.
- **Conditions aseptiques et règles d'hygiène :** lavage des mains, matériels stériles, local propre.
- **Durée d'administration :** vérifier la stabilité de la préparation tout en se conformant à la prescription.
- **Compatibilité des mélanges et des agents diluants :** vérifier la compatibilité des médicaments car il peut y avoir un risque de complexation ou de dégradation.
- **Élimination des déchets :** DASRI si injectables et piquants, bacs spécifiques.

Adaptation des préparations

Quelques fois les formes de médicaments ne conviennent pas à certaines situations cliniques ou physiologiques (gélule ou comprimé volumineux, sonde nasogastrique, forme orale inexistante).
- Gélules → ouverture possible et mélange avec un peu d'eau sauf si poudre cytotoxique ou toute autre interdiction émanant du RCP ou des référentiels locaux.
- Comprimés non sécables → généralement non prévus pour une scission.
- Solution pour injection → toutes les solutions injectables notamment les solutions pour injection IM ou SC ne sont pas systématiquement buvables. Décision au cas par cas selon les recommandations de la pharmacie.

Dilution

L'objectif d'une dilution est la diminution de la concentration d'une substance. Elle est réalisée quand la présentation du médicament est sous forme concentrée ou lorsqu'il est nécessaire d'effectuer une adaptation de dose. La dilution s'effectue au moyen d'agents diluants.

Agents diluants

- Solutions isotoniques :
  - eau pour préparation injectable (eau PPI);
  - solution injectable de NaCl (sérum physiologique) 0,9 %;
  - solution injectable de glucose 5 %.
- Solutions hypertoniques : solution injectable de glucose 10 %, 15 %, 20 %, 30 %.
- Solutions hypotoniques : solutions injectables de glucose 2,5 %.

Modalités de dilution

Les dilutions doivent toujours être réalisées selon les règles d'hygiène strictes. Le calcul d'une dilution s'effectue à partir de la détermination de la concentration finale. Il est toujours important de se référer aux modes opératoires du fabricant ou des protocoles du service.

Le nombre de mole final d'une substance dans une dilution (n_f) est identique à celui de la solution mère (n_i).

$n_i = n_f$
$C_i \times V_i = C_f \times V_f$
$V_i = (C_f \times V_f)/C_i$

V_i = volume initial (soit volume à prélever), C_i = concentration initiale (soit concentration du médicament à diluer), V_f = volume finale (soit volume de la poche ou de la seringue), C_f = concentration finale du médicament dilué.

Lorsque seule la quantité est indiquée, celle-ci ne varie pas quel que soit le volume.

6. Risques et dangers de la médication

De la commercialisation à la consommation du médicament

Industrie pharmaceutique

Le médicament est découvert, modifié, ou amélioré dans les laboratoires de l'industrie. Chaque produit pharmaceutique ayant eu une **autorisation de mise sur le marché (AMM)**, une fois conçu pour la grande distribution, fera l'objet d'une **analyse** et un **contrôle pharmaceutique**. Les données scientifiques et de fabrications permettent d'attribuer un numéro de lot et une date de péremption à chaque produit.

Grossiste répartiteur

La **distribution en gros des médicaments** est assurée uniquement par les grossistes répartiteurs. Il s'agit de structures commerciales indépendantes du fabricant. À partir d'une commande, la livraison des médicaments est ordonnée vers l'émetteur de la commande.

Pharmacie

La pharmacie assure **la gestion et la distribution au détail des médicaments** qu'elle a commandé auprès du grossiste. Elle permet la dispensation des médicaments aux patients à partir d'une prescription ou non, selon la classification du ou des médicaments concernés.

Pharmacie à usage intérieur

Les **pharmacies à usage intérieur (PUI)** sont des pharmacies disposées dans des établissements de santé, des départements de secours ou des centres médicosociaux. Ces PUI ont les **missions classiques de gestion des produits de santé** d'une pharmacie mais participent également à l'**information**, l'**évaluation** et au **bon usage des médicaments et autres produits de santé**. Par ailleurs, certains médicaments sont préparés dans les PUI autorisées.

Infirmerie

Il s'agit d'une structure permettant d'assurer les soins aux patients. Elle est dotée d'une **armoire à pharmacie** afin d'assurer les soins médicamenteux. C'est la pharmacie qui dispense l'ensemble des médicaments à l'infirmerie à partir d'une liste de médicaments prédéfinie entre l'équipe médicale et les pharmaciens.

Patient

Les médicaments sont destinés aux patients. Au moyen d'une ordonnance, lorsque cela est indispensable, **le patient ambulatoire peut se procurer les médicaments dans une pharmacie**. Dans les structures spécialisées, ce sont les IDE qui administrent les médicaments aux patients.

Hôpital

L'hôpital regroupe tous les intervenants du circuit du médicament : la consultation médicale, la PUI, le poste infirmier, la chambre du patient. **Il existe un circuit d'approvisionnement, de distribution, de stockage et d'élimination**. Certaines catégories de médicaments telles que les stupéfiants ou les médicaments dérivés du sang, font l'objet d'un circuit strict et très contrôlé.

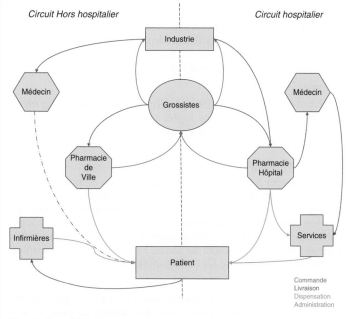

Circuit du médicament.

Étapes de la médication

Prescription

La prescription est un acte **exclusivement réservé aux médecins**. Elle peut, dans certains cas et dans une certaine limite, être réalisée par **les sages-femmes**, **les IDE** et les **kinésithérapeutes** à partir d'une liste de produits de santé autorisés. Il s'agit de lister des soins et des produits de santé (médicaments et/ou dispositifs médicaux) nécessaires à la prise en charge thérapeutique du patient à partir d'un **diagnostic** établi. Une prescription est toujours **nominative**.

Ordonnances de prescriptions

Le support de prescription peut être un **support papier** ou bien un **support informatisé**. Il existe des ordonnances bizones, sécurisées, de médicaments d'exception, avec justification de prescription (choix d'indications prédéfinies).
Les **items obligatoires** d'une prescription sont :
- l'identification complète du prescripteur (nom, qualification, numéro d'identification, lieux d'exercice, etc.);
- l'identification complète du patient : nom, prénom, âge, sexe, poids, taille;
- la date de rédaction de l'ordonnance;
- le nom de la spécialité prescrite ou sa dénomination commune internationale (DCI);
- la posologie et le mode d'emploi ainsi que la durée du traitement;
- la signature du médecin;
- dans le cadre d'une prescription d'un stupéfiant, la rédaction doit se faire en toutes lettres (chiffres compris), le nombre de médicaments prescrits doit être mentionné.

Dispensation

La dispensation est l'acte de délivrance des médicaments à partir d'une ordonnance. **Elle constitue un geste exclusivement pharmaceutique.** Le pharmacien est le seul autorisé à dispenser. Il existe deux modalités de dispensation à l'hôpital :
- la **dispensation nominative** : s'effectue à partir d'une ordonnance informatisée ou manuscrite;
- la **dispensation globale** : s'effectue à partir d'une liste de médicaments prédéfinis (dotation) en accord avec le médecin responsable de l'unité et le pharmacien. Ces dotations sont mises à disposition du service.

Administration

L'acte d'administration est un **acte de soins réservé aux IDE et aux médecins**. Il consiste à donner un médicament selon la prescription et le mode d'administration prévu dans le résumé des caractéristiques du produit ou les recommandations des procédures hospitalières. Plusieurs modes d'administration sont possibles. Ils doivent être conformes à la prescription, et à la galénique du médicament. Ils doivent être choisis et adaptés en fonction de la physiopathologie du patient.

Lors de l'administration, l'objectif est de s'assurer de donner la bonne dose, au bon débit, par la bonne voie d'administration au bon patient.

Usage par le patient (auto-administration)

L'usage d'un médicament n'est réservé qu'aux personnes nécessitant un recours thérapeutique médicamenteux. **Les informations relatives aux traitements du patient doivent être totalement accessibles** à celui-ci. L'éducation thérapeutique et la consultation pharmaceutique ont pour but d'expliquer les traitements tout en tenant compte des spécificités et des craintes du patient afin de préserver un confort de vie.

Risques médicamenteux

L'utilisation du médicament expose à un risque. Ce risque est soit évitable ou soit inévitable.

- **Risque inévitable :** le risque inévitable constitue **la part de risque propre au médicament du fait de ses propriétés lors d'une utilisation normale**. Il implique alors la part de risque dans la balance bénéfices/risques et de ce fait regroupe l'ensemble des effets indésirables du médicament. La fréquence et la gravité des évènements doivent être aussi minimes que possible pour être acceptables lors de l'évaluation du médicament au cours des essais cliniques.
- **Risque évitable :** le risque évitable se définit comme la part de risque dont les causes et les origines peuvent être contrôlées et donc évitées. Elles peuvent être de diverses natures en relation avec un individu ou un système et concernent toutes étapes du circuit du médicament.

Effets indésirables des médicaments

Définitions

Les effets indésirables regroupent tous les effets non thérapeutiques d'un médicament lorsque celui-ci est utilisé à posologie et à dosage normaux. Ils constituent le dénominateur de la **balance bénéfices/ risques** et sont considérés comme le **risque accepté ou inévitable**.

Les effets indésirables peuvent être fréquents ou rares, bénins ou graves. En théorie, ils ne peuvent être à la fois graves et fréquents car ils n'obtiendraient pas d'autorisation de mise sur le marché délivrée par l'ANSM.

- **Effet indésirable grave :** se dit d'un effet indésirable ayant entraîné une hospitalisation, un prolongement du séjour, ou la mort d'un patient.
- **Mesure de la fréquence des effets indésirables :** l'incidence est rapportée à la consommation la plus large possible (mondiale). Elle est définie à partir des études cliniques et est étendue après commercialisation (recueil de pharmacovigilance).

Échelle des fréquences d'un effet indésirable (selon l'OMS) :

- très fréquents : $\geq 10\ \%$;
- fréquent : $\geq 1\ \%$ et $< 10\ \%$;
- non fréquents : $\geq 0,1\ \%$ et $< 1\ \%$;
- rares : $< 10^{3;}$
- très rares : $< 10^4$.

Effets indésirables généraux des médicaments sur l'organisme

- **Réaction d'hypersensibilité et allergies :** tout médicament est susceptible de déclencher une hypersensibilité ou une allergie. Ces réactions se manifestent par des œdèmes, des éruptions cutanées, de la fièvre, des frissons, de l'asthme, ou un choc anaphylactique. Elles font intervenir des réactions immunologiques. Les **allergies croisées** sont des allergies qui apparaissent entre molécules d'une même classe pharmacologique ou quelques fois de classes pharmacologiques différentes. Ex. : les réactions à la pénicilline.
- **Hépatotoxicité :** beaucoup de médicaments sont hépatotoxiques. Ils impliquent des réactions cytotoxiques. L'une des hépatotoxicités les plus connues est l'**hépatite fulminante** due au paracétamol lors d'un surdosage par saturation de l'enzyme épuratrice. Les antirétroviraux et les interférons, les anticoagulants, certains psychotropes sont hépatotoxiques. Ex. : l'hépatotoxicité du paracétamol.
- **Toxicité sanguine :** les cellules sanguines et les plaquettes sont sensibles à certains médicaments (ex. : agents anticancéreux, héparines). Il est nécessaire de suivre la NFS dans l'instauration de certains médicaments. Les risques de toxicité sanguine sont : l'anémie hémolytique, l'agranulocytose, ou encore la thrombocytopénie. Ex. : la clozapine peut provoquer une agranulocytose.

- **Néphrotoxicité :** le rein peut être atteint de nécrose tubulaire et certains médicaments peuvent déclencher une **insuffisance rénale aiguë**. Les antibiotiques notamment les aminosides, certains immunosuppresseurs, les produits de contrastes iodés, les AINS, certains diurétiques sont néphrotoxiques. Ex. : la gentamicine est très néphrotoxique.
- **Tératogénicité : malformations fœtales** induites par l'utilisation de produits incompatibles avec le bon développement *in utero* du fœtus. Les médicaments à base de vitamine A, les inhibiteurs de l'enzyme de conversion (IEC), les cytotoxiques, certains antibiotiques, la thalidomide sont des exemples de médicaments tératogènes. Ex. : le lénalidomide est contre-indiqué aux femmes enceintes et en âge de procréer sans contraception.
- **Autres effets :** d'autres effets graves spécifiques aux propriétés pharmacologiques des médicaments peuvent survenir. Dans ces cas, **l'utilisation de ces médicaments est restreinte à des médecins spécialisés dans une prise en charge particulière avec une surveillance accrue.** Ex. : Les risques suicidaires associés aux antidépresseurs.

Pharmacodépendance et mésusage

Pharmacodépendance

La pharmacodépendance résulte d'un effet de **dépendance lié aux médicaments**. Elle peut inclure les phénomènes de **tolérance**.
Dépendance : elle est définie comme étant la **compulsion** à prendre un produit. On distingue la dépendance psychique et la dépendance physique (ex. : les psychotropes).

- **Dépendance psychique :** désir souvent irrépressible de répéter les prises afin de retrouver le plaisir de la satisfaction ou d'éviter l'angoisse.
- **Dépendance physique :** se manifeste à l'arrêt brusque de certains médicaments. Il apparaît des manifestations psychiques et somatiques marquées : agitation, irritabilité, accès d'angoisse, hallucinations, désorientation, troubles digestifs (sialorrhée, diarrhée, vomissements, céphalées, crampes, douleurs musculaires, etc.).

Tolérance : l'administration chronique de certains médicaments entraîne une **diminution progressive des effets** et nécessite en conséquence **une augmentation croissante des doses ou un rapprochement des prises** (ex. : les dérivés morphiniques).

Mésusage

On parle de mésusage lorsqu'il y a une utilisation inappropriée du médicament, c'est-à-dire en dehors de son utilisation thérapeutique reconnue. Ceci inclut :

- mauvais usage ;
- détournement de l'usage ;
- usage abusif.

Le mésusage fait partie intégrante du risque évitable.

Les patients et les professionnels sont quelquefois liés à la toxicomanie qui constitue une forme de détournement de l'usage ou de l'usage abusif. La toxicomanie est définie selon l'OMS comme étant : « **État psychique** et quelquefois aussi physique résultant de l'interaction entre un organisme vivant et une substance, se caractérisant par des **modifications du comportement** et d'autres réactions qui comprennent toujours une **compulsion** à prendre le produit de façon continue ou périodique afin de **retrouver ses effets psychiques** et quelques fois **d'éviter le malaise de la privation**. Cet état peut s'accompagner ou non de **tolérance**. Un même individu peut être dépendant de plusieurs produits. »

Posologies et danger

Les posologies des médicaments sont déterminées au cours des essais cliniques. Elles nécessitent une adaptation en fonction :

- du **profil du patient** : âge, pathologies associées, insuffisance rénale, insuffisance hépatique, prédisposition génétique ;
- des **médicaments associés** : propriétés identiques, propriétés contradictoires ;
- du **médicament lui-même** : marge thérapeutique étroite.

Marge thérapeutique

Il s'agit de la zone de concentration plasmatique recherchée pour laquelle un effet thérapeutique est observé. Elle est limitée par un seuil appelé **seuil thérapeutique** et un plafond appelé **seuil de toxicité**. Un médicament à marge thérapeutique étroite signifie que seuil thérapeutique et seuil de toxicité sont très proches. Ils sont donc difficiles à manier chez le patient et font souvent l'objet d'un suivi biologique (dosage de la concentration plasmatique) ou clinique (évaluation des fonctions physiologiques).

Dosage et dose

Un dosage permet de déterminer une quantité ou une concentration de principe actif. La dose thérapeutique représente la **quantité de principe actif nécessaire pour atteindre le seuil thérapeutique** compte tenu de ses propriétés pharmacocinétiques prédéterminées. La dose est renouvelée à une fréquence précise afin de maintenir une concentration plasmatique comprise dans la marge thérapeutique tout au long du traitement. C'est la **posologie**.

Surdosage

Le surdosage est l'expression de l'administration d'une **dose excessive** d'un principe actif conduisant à une **concentration toxique** du principe actif dans l'organisme. Il peut apparaître soit par une **surconsommation aiguë**, soit par une **surconsommation chronique**, soit par une **interaction médicamenteuse** ou soit par **une voie d'administration inappropriée**.

Les causes peuvent être :
- volontaires (tentative de suicide, criminel, toxicomanie);
- accidentel (incompréhension, oubli, confusion);
- inadaptation de posologie (incompatibilité physiologique : insuffisance rénale, insuffisance hépatique, etc.);
- médicamenteuse (cocktails de médicaments et autres substances chimiques ou végétales).

Erreurs médicamenteuses

Iatrogénie

L'iatrogénie est l'ensemble des actes thérapeutiques provoquant un effet néfaste sur le patient. Il inclut les **erreurs médicamenteuses** (erreurs de prescription, de dispensation, d'administration, et d'usage), les **erreurs de diagnostic**, les **erreurs de soins**. L'iatrogénie constitue l'ensemble de toutes les erreurs dites erreurs évitables.

Types d'erreurs

Les **erreurs par omission** et les **erreurs volontaires**. Les erreurs par omission sont des erreurs d'oubli. Les erreurs volontaires sont des erreurs de confusions, de méconnaissance. Ces erreurs sont toutes des erreurs évitables.
- **Erreurs par omission :** l'oubli peut avoir lieu à tous les niveaux du circuit du médicament depuis la prescription jusqu'à l'administration en passant par l'étape de stockage et de rangement.
- **Erreurs volontaires :** ces erreurs sont dites volontaires par le fait qu'elles engagent les compétences d'un individu.

Médicaments à risque

Par définition, **tous les médicaments comportent des risques**. Cependant, certains sont jugés plus à risque notamment dans les centres de soins. Il est recommandé d'identifier tous les médicaments à risque (déterminés par un référentiel ou à partir d'un retour d'expérience). Dans l'objectif d'une meilleure utilisation de ces médicaments, quelques actions peuvent s'organiser par la mise en place d'un audit régulier par la pharmacie, d'un système à double contrôle des préparations, d'une mise à jour régulière des protocoles d'utilisation et d'administration, d'un système de déclaration de toute anomalie relative aux soins médicamenteux, etc.

Parmi les médicaments à risque, sont retrouvés :
- les anticancéreux (oraux ou injectables) ;
- les anticoagulants ;
- les gaz à usage médical ;
- les insulines ;
- les neuroleptiques ;
- les solutés d'électrolytes concentrés (chlorure de sodium, chlorure de potassium) ;
- les stupéfiants.

Il convient pour chacun de ces médicaments, d'observer toutes les précautions et les recommandations en matière d'administration, de dispensation, de manipulation, de prescription, de stockage et de surveillance.

Mesures de lutte contre les erreurs médicamenteuses

La lutte contre l'iatrogénie intervient à tous les niveaux de la chaîne du médicament et concerne tous les acteurs de cette chaîne y compris le patient. L'objectif de la lutte contre les erreurs médicamenteuses est la **prévention et la diminution des risques évitables**. Elle se matérialise par un ensemble d'analyses des erreurs effectuées et des erreurs potentielles, et la mise en place de systèmes et de politique de lutte contre ces risques.

Méthode : il existe deux approches distinctes pour lutter contre les erreurs. L'une consiste à recenser, étudier et archiver les erreurs commises afin d'éviter leur réapparition c'est **l'approche *a posteriori*.** L'autre consiste à analyser et étudier les risques potentiels d'une démarche (nouvellement) instaurée, c'est **l'approche *a priori*.**

Politique de santé publique : législation et système d'information

- **Code de la santé publique :** il définit le droit et les missions de toutes les structures sanitaires ainsi que le droit et les obligations de toutes les professions de santé. Il définit et fixe le cadre de gestion des produits de santé. Il décrit également un droit à l'égard des patients, des populations particulières (femmes enceintes, enfants) et de certaines maladies (toxicomanie, sida, etc.).

- **Contrat de bon usage (CBU) :** il s'agit d'un **contrat établit entre l'hôpital, l'ARS et la sécurité social**, l'objectif étant l'engagement de la sécurité sociale à rembourser certains actes et médicaments onéreux en contrepartie d'un développement et d'une mise en place d'un programme de sécurisation et de qualité des prestations médicales et pharmaceutiques.
- **Évaluation des pratiques professionnelles (EPPR).**
- **Essais cliniques : essai de produits de santé sur l'homme** (volontaire sain ou malade) encadré par l'ANSM. Cette étape précède l'autorisation de mise sur le marché. Les essais cliniques contribuent à la connaissance et à l'amélioration de la prise en charge médicamenteuse des patients.
- **Recommandation temporaire d'utilisation (RTU) :** l'ANSM encadre une série de prescriptions dites hors AMM répondant à un réel besoin thérapeutique avec des médicaments ayant un rapport bénéfice/risque présumé favorable. Il existe un suivi des patients géré par les laboratoires. Cette RTU est valable trois ans.
- **Tarification à l'activité : mode de financement** des établissements publics ou privés sur la base des activités effectivement réalisées. Certains médicaments dits onéreux sont soumis à la tarification à l'activité (**T2A**) et nécessitent une justification de prescription laquelle conditionne le degré de remboursement du médicament par la sécurité sociale. Ce processus permet un contrôle du bon usage du médicament dans des indications reconnues.
- **Traçabilité :** processus de traçage de toutes les étapes d'une chaîne d'utilisation depuis la fabrication jusqu'à l'administration au patient en passant par les différentes structures de stockage.

Institutions

- **Agence nationale de sécurité du médicament (ANSM) :** anciennement appelée Afssaps, il s'agit de l'agence du médicament et des autres produits de santé dont les missions sont la veille, l'information, le contrôle et l'autorisation de mise sur le marché des produits de santé. Elle a également pour mission de cadrer législativement les essais cliniques.
- **Agence régionale de santé (ARS) :** son rôle est la gestion et la mise en place de politiques sanitaires destinées aux établissements de santé à un niveau régional. Elle remplace l'ancienne agence régionale de l'hospitalisation (ARH). Elle rassemble en une unité des groupements de santés publiques comme la Direction régionale des affaires sanitaires et sociales (DDRASS), la Direction départementale des affaires sanitaires et sociales (DDASS) et l'Union régionale des caisses d'assurance maladie (URCAM).

- **Centres régionaux de pharmacovigilance :** l'objectif est de recueillir et de traiter l'ensemble des déclarations des effets d'un médicament. Ils assurent une coordination à l'échelle nationale et diffusent l'ensemble des informations d'importance.
- **Centres de maladies rares :** centre rattaché aux établissements de santé et regroupant des experts dans la prise en charge de maladies rares et orphelines. Les patients atteints de maladies rares constituent un groupe très sensible dont les soins médicamenteux peuvent s'avérer compliqués. Une surveillance clinique et thérapeutique régulière est nécessaire.
- **Haute Autorité de santé (HAS) :** institution chargée d'évaluer sur le plan scientifique l'intérêt des produits de santé et leur prise en charge par l'assurance maladie. Elle a pour rôle d'améliorer la qualité des soins par le bon usage et les bonnes pratiques. Elle tient un rôle d'information auprès de tous les professionnels de santé et du grand public.
- **Institut national du cancer (INCa) :** institution ayant pour mission la coordination des politiques et des structures impliquées dans la lutte contre le cancer. L'INCa a pour rôle l'évaluation et l'analyse des données de cancérologie. Sa mission d'information concerne tant les professionnels que le grand public.
- **Comités hospitaliers :** comité du médicament (COMED), comité du dispositif médical (CODIM), comité de la iatrogénie (COMIA), comité des anti-infectieux (COMAI), comité de lutte contre la douleur (CLUD), comité de lutte contre les infections nosocomiales (CLIN), comité de retour d'expérience (CREX), Revue des erreurs liées aux médicaments et aux dispositifs médicaux associés (REMED). Toutes ces structures rattachées à la commission médicale de l'établissement (CME) ont pour objectif de définir et de mettre en place une politique sanitaire dans leur domaine respectif pour garantir à la fois une qualité de prise en charge des patients et prévenir les incidents iatrogènes.

Procédures de surveillance

- **Déclaration de pharmacovigilance :** il s'agit d'une procédure de déclaration de tout effet indésirable suspect causé par un médicament. La déclaration reprend l'identité du déclarant, l'identité totale du médicament, l'indication retenue pour le traitement du patient, ainsi que les circonstances de survenue des effets. Cette déclaration doit être immédiatement faxée au centre de pharmacovigilance de la région concernée. La déclaration de pharmacovigilance est obligatoire pour tous les professionnels de santé.

- **Déclaration de pharmacovigilance des patients :** les patients ont également la possibilité de déclarer un effet indésirable aux centres de pharmacovigilance dont ils dépendent (décret et arrêté n° 2011-655 du 10 juin 2011 relatifs aux modalités de signalement par les patients ou les associations agréées de patients d'effets indésirables susceptibles d'être liés aux médicaments et produits mentionnés à l'article L. 5121-1 du Code de la santé publique).
- **Plan de gestion des risques :** les médicaments sous surveillance bénéficient d'un plan de gestion des risques dont le principe est d'encadrer la prescription, la dispensation, l'administration et l'usage avec la collaboration des professionnels de santé d'une part et des cellules de recueils d'informations coordonnées par le fabricant ou l'ANSM. Les données étant transmises à l'ANSM.

Formations

- **Éducation thérapeutique :** consiste à former et informer le patient sur sa pathologie et les modalités de la prise en charge de ses soins lorsque ceux-ci sont peu courants, d'une maniabilité peu facile, ou nécessitent une observance importante. Elle concerne souvent les maladies chroniques ou orphelines.
- **Formation continue :** programme de formation continue disponible dans les structures hospitalières. Mise en place du système de la validation des acquis de l'expérience (VAE).
- **Formation universitaire :** intégration des études médicales, pharmaceutiques ou les formations en soins infirmiers dans le système LMD. Ces programmes LMD contribuent aux avancées médicales mais aussi à l'amélioration des pratiques professionnelles par la recherche notamment la recherche appliquée.
- **Sites Internet et e-learning :** il existe un très grand nombre de sites internet dédiés à des thèmes et des pathologies à accès non restreint. Devant le grand nombre de sites disponibles, au-delà des sites institutionnels (HAS, ARS, Institut de veille sanitaire [InVS], ANSM, INCa, ministère de la Santé, universités, écoles spécialisées, Institut de formation en soins infirmiers [IFSI], etc.), il est vivement recommandé de ne consulter que les sites des sociétés savantes, des fédérations ou associations reconnues nationalement (ex. : Société française de cardiologie [SFC], Ligue contre le cancer [LCA], etc.).

D'autres mesures sous forme de campagnes publicitaires sont destinées à l'information du grand public, organisées et cautionnées par les institutions correspondantes : InVS, HAS, ministère de la Santé, etc. Elles visent à informer et à lutter contre le mésusage des produits de santé et le risque potentiel sanitaire à l'échelle individuel ou à l'échelle communautaire.

PARTIE 2

Semestre 3

7. Asthme

Caractéristiques générales de l'asthme

L'asthme est une maladie chronique des voies respiratoires qui se traduit par un trouble ventilatoire obstructif. Ces manifestations, parfois très importantes, sont variables et réversibles. Les causes de l'asthme, non totalement élucidées, incluent une prédisposition génétique et des facteurs environnementaux (allergènes, particules, fumée, etc.).

Quelques symptômes : dyspnée, oppression thoracique, sifflement expiratoire, toux.

Les principaux critères de diagnostic de l'asthme sont :
- les antécédents de troubles respiratoires : causes de survenue des symptômes ;
- la variation et la limitation du flux expiratoire :
  - mesure du volume expiratoire maximal par seconde (VEMS) et de la capacité vitale (CV),
  - mesure du débit expiratoire de pointe (DEP ou PEF).

Le rapport VEMS/CV normal est supérieur à 75–80 % chez l'adulte et 90 % chez l'enfant.

Le DEP permet d'estimer l'évolution de la maladie en cours de traitement.

Stades de la sévérité de l'asthme

Il existe quatre stades de sévérité de l'asthme qui vont dépendre de l'asthme, de la fréquence des symptômes (y compris les symptômes nocturnes) et l'impact de l'asthme sur les activités physiques et quotidiennes. Les stades 1 et 2 sont caractérisés par un DEP normal, les stades 3 et 4 par une qualité de vie fortement impactée. Les patients en stade 4 ont une activité physique limitée (tableau 2).

Tableau 2. **Stades de la sévérité de l'asthme.**

Stade	Type d'asthme	Fréquence des symptômes diurnes	Fréquence des symptômes nocturnes	Variation du DEP
1	Intermittent	Asymptomatique < 1 fois/semaine	< 2 fois/mois	Faible (< 20 %)
2	Persistant léger	> 1 fois/semaine et < 1 fois/j	> 2 fois/mois	< 30 %
3	Persistant modéré	> 1 fois/j	> 1 fois/semaine	> 30 %
4	Persistant sévère	Continue	> 1 fois par nuit	> 30 %

Nota : la crise d'asthme est potentiellement mortelle. Celle-ci doit être rapidement prise en charge.

Stratégie du traitement médicamenteux de l'asthme

Le traitement de l'asthme a pour objectif de contrôler les symptômes et de diminuer les risques. Il inclut un traitement médicamenteux, une éducation thérapeutique (information, auto-évaluation, observance, etc.), une gestion des facteurs de risques modulables, des thérapies non médicamenteuses.

À retenir : dans le traitement médicamenteux, il y a toujours un traitement de fond quotidien et un traitement des symptômes à la demande (traitement de secours).

D'après le *Gina 2016* (*The Global initiative for asthma*), le traitement de l'asthme doit être basé sur le contrôle de l'asthme. Il introduit la notion d'ajustement du traitement en fonction de :
- l'évaluation globale (diagnostic, contrôle des symptômes, observance, préférence du patient);
- la réponse (symptômes, crises, fonction respiratoire, effets indésirables, satisfaction du patient) :
  - ceci permet de gérer un traitement de contrôle. Un traitement de contrôle initial est mis en place avec une évaluation à 2–3 mois et un réajustement si nécessaire.

Cinq choix de contrôle sont définis et associés à un type de traitement (tableau 3).

Tableau 3. Approche thérapeutique par choix du traitement de contrôle.

Choix du traitement de contrôle préféré	Contrôle	Autre option de contrôle	Traitement aigu
Niveau 1	–	Faible dose de CTI	AACβ-2 à la demande
Niveau 2	CTI	LTRA théophylline	
Niveau 3	CTI/AALβ-2 à faible dose	CTI à dose modérée/élevée CTI/LTRA à faible dose (ou + théophylline)	AACβ-2 à la demande ou CTI/formotérol à faible dose
Niveau 4	CTI/AALβ-2 à dose modérée/élevée	+ tiotropium CTI/LTRA à dose élevée (ou + théophylline)	
Niveau 5	Tiotropium Omalizumab* Mepolizumab*	Ajout de CTO	

AAC β-2 : agonistes β-2 à action courte; AALβ-2 : agonistes β-2 à action prolongée; CTI : corticostéroïdes inhalés ; CTO : corticostéroïdes oraux; LTRA : antagonistes des leucotriènes.

* Après avis spécialisé d'un centre d'asthme sévère.

Médicaments de l'asthme

Six principales classes de médicaments sont retrouvées :
- les agonistes β-2 ;
- les corticoïdes ;
- les antagonistes des leucotriènes ;
- les anticholinergiques ;
- les xanthines antiasthmatiques ;
- les anticorps monoclonaux antiasthmatiques.

Agonistes β-2

Cette classe constitue le traitement de secours de tout asthmatique notamment les agonistes β-2 d'action courte.
- **Mécanisme d'action :** agonistes des récepteurs β-2 adrénergiques. Bronchodilatation par relâchement des muscles lisses.
- **Posologie :** voir tableau 4.
- **Interactions majeures :** β-bloquant non cardiosélectifs notamment par antagonisme pharmacodynamique (principalement le formotérol).
- **Contre-indication :** hypersensibilité aux produits.
- **Effets indésirables :** tremblements, céphalées, tachycardie, troubles du rythme.
- **À surveiller :** les troubles du rythme, les signes de surdosage (palpitation, sueur, agitation, etc.). Une surveillance accrue est nécessaire avec les formes injectables.

Corticoïdes

- **Mécanisme d'action :** activité anti-inflammatoire au niveau de la muqueuse bronchique.
- **Posologie :** voir tableau 4.
- **Interactions majeures :** interaction pharmacocinétique par modification de la cinétique d'absorption des médicaments oraux au niveau intestinal (transit ralenti).
- **Contre-indication :** hypersensibilité aux produits – intolérance par survenue de toux (arrêt et changement de traitement nécessaire).
- **Effets indésirables :** apparition de candidose, dysphonie.
- **À surveiller :** prévenir les candidoses avec un rinçage de la bouche après inhalation.

Antagonistes des leucotriènes

- **Mécanisme d'action** : antagoniste des récepteurs des leucotriènes CysLT1. Diminution de la bronchoconstriction et réduction de l'activité des cellules inflammatoires (éosinophiles et mastocytes). Un seul représentant commercialisé de cette classe : le montélukast.
- **Posologie** : voir tableau 4.
- **Interactions majeures** : interaction pharmacocinétique par le CYP3A4 : le montélukast est un substrat du CY3A4. Les inducteurs enzymatiques (rifampicine, phénytoïne, phénobarbital, carbamazépine, etc.) augmentent sa dégradation et diminue son efficacité.
- **Contre-indication** : hypersensibilité au produit (principe actif et excipients).
- **Effets indésirables** : infection des voies aériennes supérieures, fièvre.
- **À surveiller** : surveiller les risques de réactions allergiques (rash cutané, œdèmes, etc.).

Anticholinergiques antiasthmatiques

- **Mécanisme d'action** : inhibition des récepteurs cholinergiques muscariniques au niveau des muscles lisses bronchiques → effet bronchospasmolytique (relaxation et bronchodilatation des muscles bronchiques).
- **Posologie** : voir tableau 4.
- **Interactions majeures** : médicaments à effets atropiniques avec augmentation des effets indésirables (rétention urinaire, glaucome, constipation, sécheresse buccale, etc.). Parmi les médicaments atropiniques : les antispasmodiques, les antitussifs antihistaminiques H1, les antiparkinsoniens anticholinergiques, certains neuroleptiques (phénothiazine, clozapine, etc.), antidépresseurs imipraminiques.
- **Contre-indication** : hypersensibilité aux produits ou à l'atropine et ses dérivés.
- **Effets indésirables** : effets atropiniques (sécheresse buccale, constipation, tachycardie, toux, etc.), troubles oculaires.
- **À surveiller** : la sécheresse buccale et l'irritation pharyngée. En cas de surdosage par utilisation abusive, il y a apparition d'effets systémiques avec symptômes anticholinergiques (sécheresse buccale, vision floue, mydriase, tachycardie, hypertension artérielle, tremblements, etc.).

Xanthines antiasthmatiques

- **Mécanisme d'action :** inhibiteurs des phosphodiestérases → effet bronchodilatateurs des muscles lisses.
- **Posologie :** voir tableau 4.
- **Interactions majeures :** énoxacine (antibiotique de la famille des quinolones) millepertuis : ces deux substances sont formellement contre-indiquées en cas de traitement avec les xanthiques antihistaminiques. Viloxazine (antidépresseurs).
- **Contre-indication :** hypersensibilité au principe actif. Enfants de moins de six mois. Association avec énoxacine ou millepertuis.
- **Effets indésirables :** palpitations, tachycardie, nausées, vomissements, diarrhées, céphalées.
- **À surveiller :** signes de surdosage tels qu'arythmie, convulsions, confusion, délire, céphalées, insomnies.

Anticorps monoclonaux antiasthmatiques

- **Mécanisme d'action :** anticorps anti-IgE sériques. Diminution de la chaîne de réactions allergiques. Diminution de la libération d'histamines.
- **Posologie :** voir tableau 4.
- **Interactions majeures :** médicaments antihelminthiques avec réduction de leur efficacité.
- **Contre-indication :** hypersensibilité au produit (principe actif et excipients). Allaitement.
- **Effets indésirables :** fièvre, céphalées, douleurs abdominales et réactions au site d'injection.
- **À surveiller :** rarement des risques d'apparition de syndrome hyperéosinophilique (rash lié à une vascularite, aggravation des symptômes respiratoires, troubles cardiaques).

Autre spécialité : cromoglicate

- **Mécanisme d'action :** stabilisateur des mastocytes et inhibition de la dégranulation.
- **Posologie :** voir tableau 4.
- **Contre-indication :** hypersensibilité au produit (principe actif et excipients).
- **Effets indésirables :** rare toux ou bronchospasmes.
- **À surveiller :** possibles éruptions cutanées.

Nota : l'éducation thérapeutique des patients asthmatiques est importante. Celle-ci inclut également la formation des patients à leur inhalateur dont les systèmes sont très variés.

Semestre 3

Tableau 4. Tableau récapitulatif.

Classe	Forme d'administration	DCI *Princeps*	Posologie
Agonistes β-2	Auto-inhalation	**Formotérol** *Asmelor, Formoair, Foradil*	12–48 µg/j
		Salbutamol *Airomir, Ventoline, Serevent*	100–200 µg en si besoin
		Terbutaline *Bricanyl Turbohaler*	500 µg/j
	Inhalation nébuliseur	**Salbutamol** *Ventoline* (unidoses)	5–10 mg/ nébulisation
		Terbutaline *Bricanyl* (unidoses)	
	Injectable	**Salbutamol** *Ventoline* injectable	0,5 mg/6 h (SC) 0,1–0,2 µg/kg/min (IV)
		Terbutaline *Bricanyl* injectable	0,5 mg/4–8 h
	Cp	**Bambutérol** *Oxeol*	10–20 mg/j
		Terbutaline *Bricanyl LP*	10 mg/j
Corticoïdes	Auto-inhalation	**Béclométasone** *Béclojet, Bécotide, Béclospray, Bemedrex, Ecobec, Miflasone, Qvar, Qvarspray*	160–2 000 µg/j
		Budésonide *Miflonil, Novopulmon, Pulmicort*	
		Ciclésonide *Alvesco*	
		Fluticasone *Flixotide, Flixotide Diskus*	
		Mométasone *Asmanex*	200–800 µg
	Inhalation nébuliseur	**Béclométasone** *Béclospin*	800–1 600 µg/j
		Budésonide *Pulmicort*	0,5–2 mg/j (enfant)

(Suite)

7

Tableau 4. Suite.

Classe	Forme d'administration	DCI *Princeps*	Posologie
Antagonistes des récepteurs aux leucotriènes	Cp Gél.	**Montélukast** *Singulair*	10 mg/j
Anticholinergiques antiasthmatiques	Auto-inhalation Inhalation nébuliseur	**Ipratropium** *Atrovent*	20–80 µg/j 0,5 mg/j (nébuliseur)
		Tiotropium* *Spiriva* *Spiriva Respimat*	18 µg/j 5 µg/j (nébuliseur)
Xanthiques antiasthmatiques	Gél. Cp Sirop	**Théophylline** *Dilatrane LP* *Euphylline LA* *Tedralan LP* *Théostat LP* *Xanthium LP*	5–12 mg/kg/j
		Bamifylline *Trentadil*	600–900 mg/j
	Injectable (IV)	**Aminophylline**	Dose de charge : 5 mg/kg Entretien : 0,6 mg/kg/h
Anticorps monoclonaux antiasthmatiques	Injectable (SC)	**Omalizumab** *Xolair*	75–600 mg/ administration (dose maximale : 600 mg toutes les 2 semaines)
Autres	Inhalation nébuliseur	**Cromoglicate** *Lomudal*	80 mg/j

* Associé aux corticoïdes ou aux antagonistes des leucotriènes dans le choix de traitement niveau 4 selon le *Gina* 2016.

Prise en charge de l'asthme aigu

Deux situations sont possibles selon que les crises (exacerbations) soient modérées ou sévères. Une évaluation de l'exacerbation est nécessaire.

En cas d'exacerbation modérée

- Bronchodilatation (bronchodilatateurs agonistes β-2 à durée d'action courte) :
  - par inhalation ;
  - administration à forte dose (4–10 bouffées) toutes les 20 minutes pendant une heure ;
  - nébulisation : 5 mg/20 min pendant 1 heure (hôpital).

Semestre 3

- Inflammation (corticothérapie) :
  - orale ;
  - prednisolone (ou prednisone) 1 mg/kg/j (max. : 50 mg/j) ;
  - 1 semaine.

Évaluation de la réponse : si pas d'amélioration, transfert en soins intensifs de pneumologie.

En cas d'exacerbation sévère (prise en charge spécialisée)

- Oxygénothérapie :
  - obtenir SpO_2 = 93–95 %.
- Bronchodilatation (bronchodilatateurs agonistes β-2 à durée d'action courte) :
  - salbutamol ou terbutaline ;
  - par inhalation (gaz vecteur : oxygène) ;
  - nébulisation : 5 mg/20 min (hôpital) ;
  - association possible d'un anticholinergique (ipratropium) : 0,5 mg/20 min pendant 1 heure.
- Agonistes β-2 en injectable si échec :
  - terbutaline par voie sous-cutanée (ampoule) : 0,5 mg ;
  - terbutaline en PSE : 0,25–0,5 mg/h avec surveillance étroite.
- Corticothérapie :
  - orale ;
  - prednisolone (ou prednisone) 1 mg/kg/j (max. : 50 mg/j) ;
  - 1 semaine.
- Ventilation mécanique : évaluation minutieuse et périodique de la réponse et recherche d'une cause sous-jacente (allergène, infection).

8. Antibiotiques

Généralités

Définition

Les antibiotiques sont des substances chimiques, élaborées par des micro-organismes ou par synthèse chimique, capables d'inhiber la multiplication (**bactériostatique**) ou de détruire (**bactéricide**) des bactéries.

Les antibiotiques ont pour but de diminuer ou de stabiliser la quantité de bactéries présentes au niveau du site infectieux et d'aider les cellules du système immunitaire à entamer le processus de guérison.

L'utilisation effrénée des antibiotiques chez l'homme et l'animal a créé une pression de sélection sur les bactéries et a favorisé **l'apparition de bactéries résistantes aux antibiotiques**. Ceci est un véritable problème de santé publique. Il est donc essentiel d'utiliser les antibiotiques uniquement quand cela est nécessaire, de privilégier les antibiotiques à spectre étroit et de respecter les durées de prescription.

Le traitement antibiotique doit parfois être associé à un acte chirurgical pour éradiquer complètement l'infection.

Modes d'action des antibiotiques

Les 4 principaux modes d'actions des antibiotiques sont :
- inhiber la synthèse de la paroi bactérienne, c'est-à-dire inhiber la synthèse du peptidoglycane ;
- inhiber la synthèse de la membrane cytoplasmique ;
- inhiber la synthèse de l'ADN bactérien ;
- inhiber la synthèse de protéines bactériennes.

Choix de l'antibiotique

Pour traiter efficacement une infection bactérienne il faut administrer au patient un **antibiotique** :
- dont le spectre d'activité est actif sur la bactérie responsable de l'infection ;
- et qui diffuse dans l'organe où les bactéries responsables de l'infection sont présentes.

La réalisation d'un prélèvement chez le patient (ex. : hémoculture périphérique, examen cytobactériologique des urines, etc.) va permettre d'identifier la bactérie et de connaître les antibiotiques actifs et non actifs sur la bactérie isolée (antibiogramme). Ce prélèvement doit être fait avant que le traitement antibiotique ne soit débuté.

Le choix de l'antibiotique doit donc tenir compte : des signes cliniques, de la bactérie suspectée ou identifiée, des résultats de l'antibiogramme, des antécédents du patient, etc.

Il faut distinguer deux notions :

- le **traitement antibiotique empirique** : c'est le traitement donné en 1re intention avant que la bactérie ne soit isolée et que les résultats de l'antibiogramme ne soient obtenus. Les antibiotiques utilisés en 1re intention ont souvent un **large spectre d'activité** ;
- le **traitement antibiotique documenté après examen bactériologique** : le choix de l'antibiotique tient compte des résultats obtenus (identification bactérienne et antibiogramme) ; le **spectre** est **ciblé**.

Il peut être nécessaire d'associer deux antibiotiques dans le but d'avoir un effet synergique, de réduire la durée totale de traitement par antibiotique, de réduire le risque de développement de bactérie résistante.

Choix de la voie d'administration

Ce choix dépend :

- de la **notion d'urgence** : dans ce cas la voie injectable (IV) est privilégiée ;
- de la **localisation de l'infection** ;
- des **formes galéniques** disponibles ;
- de l'**état du tractus digestif** du patient : si nausée et/ou vomissement, la voie orale est inadaptée ;
- des **interactions médicamenteuses** possibles : un patient traité par antivitamines K (AVK) ne doit pas recevoir d'injection intramusculaire (IM), car il risque d'avoir un hématome après l'injection. Dans ce cas il est préférable de faire une injection dite « sous-cutanée » profonde.

Pratique IDE

- **Avant de réaliser un examen bactériologique** il faut savoir si le patient a eu au préalable un traitement antibiotique.
- Il faut **respecter les doses, les moments de prise et la durée de traitement prescrits**.
- Il faut **connaître les effets indésirables spécifiques** à chaque famille d'antibiotique. Ex. : ototoxicité et néphrotoxicité des aminosides (*Amiklin* [amikacine], *Gentamicine* [gentamicine]), tendinopathie des fluoroquinolones (*Ciflox* [ciprofloxacine], *Tavanic* [lévofloxacine]), coloration orangée des sécrétions lacrymales et des urines avec la rifampicine, risque d'interaction médicamenteuse avec la rifampicine et

les autres médicaments administrés conjointement (la rifampicine étant un inducteur enzymatique), etc.

- Il faut **connaître les modalités d'administration et de préparation** des antibiotiques injectables. Ex. : *Augmentin,* amoxicilline associé à acide clavulanique, ne doit pas être dilué dans un soluté glucosé car il en résulte une interaction rendant l'*Augmentin* inefficace. Les aminosides ne s'injectent pas par voie sous-cutanée sous peine de nécrose cutanée et doivent s'administrer en IV ou en IM.
- Il faut **suivre l'évolution clinique** du patient pour évaluer l'efficacité du traitement : la température, les frissons, le pouls, la tension artérielle, l'état du point d'injection pour les antibiotiques administrés en IM, IV ou SC.
- Il faut **suivre les paramètres biologiques** : leucocytes, protéine C réactive, etc.
- Il faut être capable **d'effectuer aux bons moments les prélèvements sanguins pour déterminer la concentration plasmatique résiduelle et la concentration plasmatique au pic ou l'équilibre des antibiotiques** dans l'organisme du patient. La concentration résiduelle correspond à la concentration la plus basse dans l'organisme ; ex. : pour un aminoside administré en 1 injection/j à 8 h le matin, la concentration résiduelle correspond à la concentration de l'aminoside mesurée 30 à 60 minutes avant l'heure habituelle d'injection (le prélèvement sanguin doit donc être fait dans ce cas vers 7 h). La concentration au pic est la concentration la plus haute obtenue après injection du médicament ; le résumé des caractéristiques du produit (RCP) de chaque médicament injectable précise le moment où le pic s'obtient après une injection. La concentration à l'équilibre correspond à la concentration obtenue lorsque le médicament s'administre en perfusion ou lorsque les injections sont répétées. Il faut se référer au RCP pour connaître le moment où l'équilibre est atteint (généralement le temps d'équilibre est obtenu entre 5 et 7 fois la demi-vie du principe actif).

β-lactamines

Pénicillines

Ces antibiotiques sont **bactéricides**. Ils diffusent bien dans tout l'organisme à l'exception du liquide cérébrospinal (LCS), sauf en cas de méningite. Ils sont éliminés essentiellement par voie urinaire et sous forme inchangée (non métabolisée) ce qui explique que, chez les patients insuffisants rénaux, la posologie doit être adaptée.

Ils sont indiqués dans de nombreuses infections, sévères ou non, en raison de leur large spectre d'activité. Ils s'administrent par **voie injectable ou orale**.

Tableau 5. Principaux antibiotiques de la classe des pénicillines.

Groupe	DCI	Nom commercial
Pénicilline G	Benzylpénicilline	*Pénicilline*
Pénicilline V	Phénoxyméthylpénicilline	*Oracilline*
	Benzathine benzylpénicilline	*Extencilline*
Pénicilline M	Oxacilline	*Bristopen*
	Cloxacilline	*Orbénine*
Pénicilline A	Amoxicilline	*Clamoxyl*
	Amoxicilline + acide clavulanique	*Augmentin*
Carboxypénicilline	Ticarcilline	*Ticarpen*
Uréidopénicilline	Pipéracilline + tazobactam	*Tazocilline*

Effets indésirables :
- réactions **allergiques** : urticaire, éruptions, œdème de Quincke, choc anaphylactique. L'allergie aux pénicillines est croisée dans 10–15 % avec celle des céphalosporines. Les tests immunoallergiques sont indispensables pour faire le diagnostic d'allergie. À noter que le risque d'éruptions cutanées est plus important si le patient est traité par *Zyloric*-allopurinol ;
- troubles **digestifs** : diarrhée, nausées, vomissements, candidoses digestives. Les diarrhées et les candidoses digestives sont les conséquences de l'activité large spectre des pénicillines : ces deux effets indésirables sont directement liés à l'efficacité du traitement.

Céphalosporines

Antibiotiques **bactéricides** à large diffusion dans l'organisme à l'exception du LCS.

Ils sont éliminés essentiellement par voie urinaire et sous forme inchangée (non métabolisée) ce qui explique que, chez les patients insuffisants rénaux, la posologie doit être adaptée.

Ils sont indiqués dans de nombreuses infections, sévères ou non, en raison de leur large spectre d'activité. Ils s'administrent par **voie injectable ou orale**.

Les effets indésirables sont surtout de type allergique et des troubles digestifs.

Tableau 6. **Principaux antibiotiques de la classe des céphalosporines.**

DCI	Nom commercial
Céfuroxime	*Zinnat*
Céfotaxime	*Claforan*
Ceftriaxone	*Rocéphine*
Ceftazidime	*Fortum*
Cefpodoxime	*Orelox*

Fluoroquinolones

Antibiotiques **bactéricides** à large diffusion dans l'organisme dont le tissu osseux, la prostate et le LCS.

Ils sont **indiqués dans de nombreuses infections, sévères ou non**, en raison de leur **large spectre** d'activité (bacille à Gram négatif et staphylocoques). Ils s'administrent par **voie injectable ou orale.** Les antibiotiques de cette famille sont prescrits dans le traitement des infections ostéoarticulaires, génito-urinaires dont la salpingite, la pyélonéphrite, la prostatite, les infections pulmonaires dont certaines tuberculoses… À noter que certaines fluoroquinolones sont prescrites dans le traitement minute, c'est-à-dire en une prise unique, des infections urinaires basses de la femme sans complication : la cystite simple. Ces traitements sont : *Uniflox* (ciprofloxacine) 1 comprimé à 500 mg en une seule prise ; *Monoflocet* (ofloxacine) 1 comprimé à 200 mg en une seule prise.

Tableau 7. **Principaux antibiotiques de la classe des fluoroquinolones.**

DCI	Nom commercial
Ofloxacine	*Oflocet*
Lévofloxacine	*Tavanic*
Ciprofloxacine	*Ciflox*
Norfloxacine	*Noroxine*

Les effets indésirables sont :

- des **tendinopathies** : elles se manifestent par des raideurs des tendons et peuvent aller jusqu'à la rupture du tendon ; cet effet indésirable peut survenir dans les premiers jours de traitement ;
- la **phototoxicité** : l'exposition au soleil ou aux rayons ultraviolets (UV) lors d'un traitement par fluoroquinolone est très à risque de toxicité cutanée. Il faut éviter toute exposition aux UV ;
- **digestifs** : diarrhée, nausées, vomissements, douleurs abdominales.

Glycopeptides

Ces antibiotiques sont **bactéricides**.

Leur diffusion tissulaire est bonne mais inconstante dans le LCS. Ils sont éliminés par voie urinaire sous forme active (non métabolisée), ce qui explique que la posologie doit être adaptée chez le patient insuffisant rénal. Ils ne sont pas absorbés par voie digestive, ce qui explique leur **administration par voies IV ou IM**.

Ils ont un **spectre d'action étroit caractérisé par une efficacité sur les staphylocoques dits Méti-R**, c'est-à-dire résistants aux β-lactamines. Ils sont **indiqués dans les infections sévères** à germes sensibles dont certaines endocardites, la fièvre chez le patient neutropénique.

Cette famille est composée de deux médicaments :

- *Vancocine* (vancomycine) : administré en perfusion IV d'une durée au moins de 60 minutes ;
- *Targocid* (teicoplanine) : administré en IV directe (en 1 minute) ou en perfusion IV de 30 minutes.

Les effets indésirables sont :

- **ototoxicité** dose-dépendante : acouphènes, vertige, voire surdité ;
- **néphrotoxicité** : cet effet indésirable apparaît en cas de surdosage ;
- **thrombophlébites au point d'injection** ;
- **cutanés :** si la vitesse de perfusion de la vancomycine est trop rapide (supérieure à 1 g par heure) le patient peut présenter le *red man syndrome*, c'est-à-dire l'apparition d'un érythème au niveau du cou, du visage et du torse avec en plus de l'hypotension artérielle.

Suivi des concentrations plasmatiques : il est nécessaire de suivre les concentrations résiduelles des antibiotiques de cette famille pour être sûr d'être dans l'intervalle thérapeutique et éviter la survenue des effets indésirables. Une adaptation de posologie peut être réalisée pour les patients insuffisants rénaux soit en réduisant les doses, soit en espaçant les injections.

Aminosides

Ils sont **bactéricides**.

Ils ne sont pratiquement pas absorbés par voie orale ce qui explique que **leur administration se fait par voie IM** et plus rarement par voie IV. Ils sont essentiellement éliminés par voie urinaire sous forme active inchangée (non métabolisée). La posologie doit donc être adaptée à la fonction rénale du patient. Leur usage est quasiment exclusivement hospitalier.

Les aminosides sont **rarement utilisés en monothérapie mais plutôt en association dans le traitement d'infections sévères** dont les endocardites, les infections urinaires, ostéoarticulaires, septicémiques, etc. En effet, les aminosides ont une action synergique avec les β-lactamines, les fluoroquinolones, les glycopeptides, etc.

Ils s'administrent en 1 à 3 injections/j.

La durée d'un traitement par aminoside est généralement très courte et limitée à 2–3 jours, c'est-à-dire le temps d'obtention de l'antibiogramme pour cibler ensuite plus spécifiquement le traitement antibiotique.

Les effets indésirables sont :

- l'**ototoxicité** : elle est favorisée par des doses élevées et des durées de traitement prolongées. Elle est **irréversible** et se manifeste par des bourdonnements d'oreille, vertige, hypoacousie évoluant vers la perte d'audition ;
- la **néphrotoxicité** : elle est **réversible**. Elle peut être favorisée par l'association avec des médicaments diurétiques.

Suivi des concentrations plasmatiques : il est essentiel d'effectuer ce suivi car les médicaments de cette famille sont dits à marge thérapeutique étroite, c'est-à-dire que les concentrations thérapeutiques et toxiques sont très proches. Ces dosages sériques sont indispensables chez le sujet qui est insuffisant rénal ou lorsque le traitement est supérieur à 7 jours.

Tableau 8. Principaux antibiotiques de la classe des aminosides.

DCI	Nom commercial
Gentamicine	*Gentamicine*
Amikacine	*Amiklin*
Tobramycine	*Tobi*

Sulfamides

Ces antibiotiques sont **bactériostatiques**.

Ils sont très absorbés par voie digestive et diffusent très largement dans l'organisme dont le LCS, la prostate, la bile et les poumons. **La métabolisation hépatique est importante et l'inactivation se fait par acétylation.** L'élimination se fait ensuite par voie urinaire sous forme métabolisée inactive.

Ils s'administrent par **voie orale ou injectable**.

Ils sont indiqués dans les infections urinaires basses non compliquées (cystites), prostatites, pyélonéphrite aiguë, pneumocystose pulmonaire (cotrimoxazole). À noter que le *Bactrim* – (cotrimoxazole) est indiqué dans le traitement curatif et préventif de la pneumocystose.

Les effets indésirables sont :

- des **réactions allergiques** : urticaires, bronchospasme, œdème de Quincke, etc. ;
- des **troubles hématologiques** : des neutropénies réversibles après l'arrêt du traitement, des anémies mégaloblastiques car ces antibiotiques entraînent une carence en folates, anémies hémolytiques, etc. ;
- des **troubles cutanés** : de la phototoxicité par exposition aux rayons UV ;
- des **troubles digestifs** : nausées, vomissements, etc.

Cette famille d'antibiotique est contre-indiquée en cas de déficit en une enzyme : la G6PD.

Tableau 9. **Principaux antibiotiques de la classe des sulfamides.**

DCI	Nom commercial
Sulfadiazine	*Adiazine*
Sulfaméthoxazole + triméthoprime ; cette association est appelée aussi cotrimoxazole	*Bactrim*

Antituberculeux

La tuberculose est une maladie infectieuse transmissible qui atteint surtout le poumon mais d'autres organes peuvent aussi être concernés (os, rein, etc.).

La principale bactérie responsable de cette infection est *Mycobacterium tuberculosis*.

Le traitement repose sur une **association de plusieurs médicaments antibactériens** qui doivent être administrés quotidiennement pendant

plusieurs mois. Le risque de tuberculose résistante nécessite que le traitement soit bien mené.

Il existe 4 antituberculeux de première intention appelés aussi antituberculeux «majeurs» : isoniazide, rifampicine, éthambutol et pyrazinamide. Les antituberculeux de deuxième intention ne seront pas abordés ici (aminosides, macrolides, fluoroquinolones, etc.).

Isoniazide

Cet antibiotique est **bactéricide**. D'un point de vue pharmacocinétique ce médicament possède 4 caractéristiques :
- une absorption digestive importante sous réserve qu'il soit pris **à jeun**;
- une très grande distribution dans les organes y compris le LCS;
- une métabolisation hépatique qui se fait par acétylation avec une variabilité interindividuelle. Il existe des patients dits acétyleurs rapides et d'autres dits acétyleurs lents;
- une élimination urinaire.

Les deux principaux effets indésirables sont :
- la **toxicité hépatique** : cette toxicité se traduit par une augmentation des transaminases (ALAT et ASAT) et peut conduire exceptionnellement à une hépatite aiguë. L'alcoolisme ou l'association de l'isoniazide à la rifampicine et/ou le pyrazinamide augmente le risque d'hépatotoxicité. Cette toxicité peut conduire à une adaptation de la posologie voire à un arrêt du traitement;
- la **toxicité neurologique** : elle correspond à des neuropathies périphériques et se manifeste par des sensations anormales comme des picotements, des brûlures, des fourmillements, etc. Cette toxicité est plus fréquente chez les acétyleurs lents.

La posologie usuelle chez l'adulte est de 3 à 5 mg/kg/j. L'isoniazide existe en comprimé s'administrant par voie orale et en ampoule à diluer. Le nom de spécialité est *Rimifon*.

Rifampicine

Cet antibiotique est **bactéricide**. Il est actif sur les mycobactéries mais aussi sur d'autres bactéries dont certains cocci à Gram positif. Les caractéristiques pharmacocinétiques de cet antibactérien sont :
- une absorption digestive importante sous réserve qu'il soit pris **à jeun**;
- une grande distribution dans les organes y compris le LCS;
- une métabolisation hépatique;
- une élimination mixte : urinaire et fécale.

Les deux principaux effets indésirables sont :
- la **toxicité hépatique** : cela se traduit par une augmentation des transaminases. Cette toxicité est plus fréquente lorsque la rifampicine est associée à l'isoniazide ;
- la **coloration orangée des sécrétions** comme les urines, les selles et les larmes pouvant conduire dans ce cas à une coloration des lentilles de contact.

Attention, la rifampicine est un **inducteur enzymatique** (voir fiche 2 : «Définition de la pharmacocinétique»). Par conséquent, il augmente l'activité des enzymes hépatiques type cytochrome P450 et provoque une diminution de l'efficacité de différents médicaments dont les AVK, certains immunosuppresseurs, les corticoïdes, la contraception orale, etc.

La posologie usuelle chez l'adulte est de 10 mg/kg/j. La rifampicine existe en gélule, en sirop et en ampoule injectable à diluer. Les noms de spécialités sont *Rifadine* et *Rimactan*.

Pyrazinamide

Cet antibiotique est **bactéricide**. Ses caractéristiques pharmacocinétiques sont une bonne absorption digestive, une bonne diffusion tissulaire dont le LCS, une métabolisation hépatique et une élimination rénale.

Les deux principaux effets indésirables sont :
- la **toxicité hépatique** : cela se traduit par une augmentation des transaminases. Elle peut nécessiter une adaptation de la posologie voire un arrêt du traitement ;
- des **arthralgies avec une hyperuricémie**. L'hyperuricémie est très fréquente et peut confirmer la prise du traitement par le patient.

La posologie usuelle chez l'adulte est de 20 à 30 mg/kg/j. Le pyrazinamide existe en comprimé. Le nom de spécialité est *Pirilène*.

Éthambutol

Cet antibiotique est **bactériostatique**. Ses caractéristiques pharmacocinétiques sont une bonne absorption digestive, une bonne diffusion tissulaire dont le LCS, une métabolisation hépatique et une élimination rénale en partie sous forme inchangée.

Le principal effet indésirable est **une toxicité oculaire** sous forme de névrite optique (baisse de l'acuité visuelle et anomalie des couleurs).

La posologie usuelle chez l'adulte est de 15 à 20 mg/kg/j. L'éthambutol est commercialisé en comprimé et en ampoule à diluer. Les noms de spécialités sont *Myambutol* et *Dexambutol*.

En cas de **grossesse, le pyrazinamide est contre-indiqué**. Le schéma thérapeutique recommandé est de 3 mois de traitement associant isoniazide + rifampicine + éthambutol, suivi de 6 mois de traitement par isoniazide + rifampicine.

L'**observance** est essentielle. Pour faciliter cette observance, il faut rappeler au patient que les 4 antituberculeux majeurs s'administrent quotidiennement, par voie orale, en une seule prise et à jeun c'est-à-dire 1 heure avant la prise du repas. Il existe 2 spécialités pharmaceutiques qui combinent des antituberculeux ce qui contribue à une meilleure observance :
- *Rifater* combinant isoniazide + rifampicine + pyrazinamide ;
- *Rifinah* combinant isoniazide + rifampicine.

Semestre 3

9. Diabète

Types de diabète

Les principaux types de diabètes sont le diabète de type 1 (DT1), le diabète de type 2 (DT2) et le diabète pancréatique. Ils entraînent tous une hyperglycémie et en plus une cétose pour le diabète de type 1 et le diabète pancréatique (DP).

Marqueurs biologiques du diabétique

Les marqueurs usuels sont la glycémie (veineuse et capillaire), l'hémoglobine glyquée (HbA1c) et la cétonurie (DT1 et DP) :
- la glycémie moyenne à jeun : positif si > 1,26 g/L (7 mmol/L) ;
- l'hémoglobine glyquée : positif si > 6,5 % ;
- la cétonurie : positive (DT1 et DP), négative (DT2) ;
- les marqueurs de la fonction rénale : (créatininémie, DFG, albuminurie) ;
- les marqueurs du cholestérol (triglycérides, LDL, HDL).

Objectifs glycémiques

Les objectifs glycémiques dépendent du type de diabète. Ils sont par ailleurs déterminés au cas par cas et en fonction du profil du patient.
- DT1 :
  - en règle générale : HbA1c $\leq$ 7,5 %.
- DT2 (selon HAS, 2013) :
  - nouveau diagnostic sans complications vasculaires : HbA1c $\leq$ 6,5 % ;
  - la plupart des patients DT2, personnes âgées en bon état de santé, antécédents de complication macrovasculaire non évoluée, IRC modéré : HbA1c $\leq$ 7 % ;
  - avec comorbidité grave, personnes âgées fragiles (fonctions motrices et cognitives limitées), atteintes cardiovasculaires évoluées, IRC sévère ou terminale : HbA1c $\leq$ 8 %.

Régimes du diabétique

Les régimes seront adaptés en fonction du type du diabète. Ils sont établis avec le diabétologue et le nutritionniste. L'une des principales

Tableau 10. **Types de diabète.**

Type	Prévalence	Profil	Cause	Caractéristiques	Traitements
Diabète type 1	5 %	< 30 ans IMC < 25 kg/m²	Auto-immunité	Insulinopénie	Insulines
Diabète type 2	95 %	> 40 ans IMC > 27 kg/m²	Héréditaire	Insulinorésistant	Antidiabétiques oraux ± insulines
Diabète pancréatique	Très faible	–	Alcoolisme Maladie du pancréas	Insulinopénie/ insulinorésistance	Insulines

Semestre 3

stratégies repose sur la diminution ou la suppression de la consommation des aliments riches en glucides et de l'alcool.

- DT1 :
  - contrôle des apports glucidiques notamment en cas d'hypoglycémie ;
  - favoriser la consommation de fruits ;
  - contrôle de l'apport lipidique et favoriser les acides gras (mono- ou poly-) insaturés (AGI).
- DT2 :
  - alimentation hypocalorique si surpoids ;
  - suppression des aliments hyper-glucidiques en faveur des aliments à indice glycémique (IG) faible tels que les légumes, légumineuses, produits laitiers, viandes, poissons, pain complet, etc.

Traitements par insulines

Les insulines sont des hormones hypoglycémiantes. Elles sont principalement classées par rapport à leur courbe d'action. Quatre classes sont ainsi retrouvées : les insulines ultrarapides, rapides, intermédiaires et lentes. Il existe par ailleurs des insulines mixtes qui présentent un délai d'action court au même titre que les insulines rapides mais possédant une durée d'action intermédiaire.

L'unité de prescription des insulines est l'unité internationale (UI). Cependant certaines spécialités ont leur propre unité (U) pour lesquelles il n'y a pas de correspondance systématique.

- **Mécanisme d'action :** captation du glucose en périphérie *via* les récepteurs à insulines des cellules du muscle et du tissu adipeux. Inhibition de la production de glucose par le foie.
- **Posologie :** les doses sont ajustées individuellement.
- **Interactions majeures :** alcool.
- **Contre-indication :** hypersensibilité au produit (principe actif et excipients).
- **À surveiller :** les signes d'hypoglycémie liée à un surdosage (sueurs, tremblements, confusion asthénie, coma hypoglycémique). **Rappel : l'insuline ne doit jamais être arrêtée chez les patients atteints de DT1** même en cas d'hypoglycémie (réadaptation des posologies).

Tableau 11. **Tableau récapitulatif des insulines.**

DCI *Princeps*		Type d'insuline	Voie d'administration	Délai d'action (min)	Durée d'action (h)
Insuline aspartate (*Novorapid*)		Ultra-rapide	SC	5	3
Insuline glulisine (*Apidra*)					
Insuline lispro (*Humalog*)					
Insuline humaine	*Actrapid*	Rapide	SC, IV (urgence)	30	7
	Umuline rapide				
Insuline NPH	*Umuline NPH*	Intermédiaire	SC	30	12–16
	Insulatard				
Insuline glargine	*Abasaglar*	Lente	SC	120	20–24
	Lantus				
	Toujeo				
Insuline détémir (*Levemir*)		Lente	SC	120	14–20

(*Suite*)

Tableau 11. **Suite.**

DCI *Princeps*		Type d'insuline	Voie d'administration	Délai d'action (min)	Durée d'action (h)
Insuline mixte* protamine	NovoMix 30	Mixte	SC	5–15	14–24
	NovoMix 50				
	NovoMix 70				
	Humalog 25				15
	Humalog 50				
Insuline mixte* Isophane (NPH)	Mixtard 30	mixte	SC	30	14–24
	Umuline Profil 30				18–20
Insuline degludec + Liraglutide (GLP1)	Xultophy	Mixte (+ analogue GLP1)	SC	–	–

* Les insulines mixtes sont un mélange insuline rapide en proportion variable (25, 30, 50, 70) et insuline lente (protamine ou NPH).

Il existe plusieurs formes d'administration des insulines en fonction des spécialités :
• cartouches ;
• pompes à insuline (*Insuman* uniquement) ;
• stylos jetables ;
• stylos réutilisables.
Les schémas d'administration classiques :
• association insuline lente (basale)-insuline rapide : couverture sur 24 heures avec une injection d'insuline lente et contrôle des pics glycémiques postprandiaux avec trois injections d'insulines (ultra) rapides ;
• insuline intermédiaire : couverture sur 24 heures par deux injections d'insuline intermédiaires (2×12 h). Les insulines intermédiaires provoquent un pic après 2 ou 3 heures.

Antidiabétiques oraux

Les antidiabétiques oraux (ADO) sont indiqués dans le traitement du diabète de type 2. Il existe cinq classes différentes : les analogues du glucagon-like-peptide-1 (GLP1), les biguanides, les inhibiteurs des α-glucosidases, les inhibiteurs de la dipeptidylpeptidase-4 (DPP-4) et les sulfamidés hypoglycémiants (les glinides).
De nouveaux antidiabétiques oraux inhibant la recapture du glucose par les reins seront disponibles.

Analogues GLP1

• **Mécanisme d'action** : agonistes des récepteurs du GLP-1. Augmentation de la sécrétion d'insuline au niveau des cellules β-pancréatiques et diminution de la sécrétion de glucagon. Diminution de la vidange gastrique (diminution de l'absorption du glucose).
• **Posologie** : voir tableau 12.
• **Interactions majeures** : interaction pharmacocinétique par modification de la cinétique d'absorption des médicaments oraux au niveau intestinal (transit ralenti).
• **Contre-indication** : insuffisance rénale sévère. Hypersensibilité au produit (principe actif et excipients). Grossesse et allaitement.
• **Effets indésirables** : troubles du transit intestinal (nausées, vomissement, diarrhées), hypoglycémie.
• **À surveiller** : les signes d'hypoglycémie liée à un surdosage (sueurs, tremblements, confusion asthénie, coma hypoglycémique). L'importance des nausées et des vomissements.

Semestre 3

Tableau 12. **Tableau récapitulatif des antidiabétiques oraux.**

DCI *Princeps*		Classe	Forme	Posologie
Dulaglutide (*Trulicity*)		Analogues GLP-1	SC	0,75–1,5 mg/semaine
Exénatide	*Byetta*			10–20 µg/j
	Bydureon			1 inj./semaine
Liraglutide (*Victoza*)				0,6–1,8 mg/j
Lixisénatide (*Lyxumia*)				10–20 µg/j
Metformine	*Glucophage*	Biguanide	*Per os*	1 000–3 000 mg/j
	Stagid			
Répaglinide (*NovoNorm*)		Glinides	*Per os*	0,5–4 mg/j
Acarbose (*Glucor*)		Inhibiteurs des α-glucosidases	*Per os*	150–300 mg/j
Miglitol (*Diastabol*)				

(Suite)

Tableau 12. Suite.

DCI *Princeps*		Classe	Forme	Posologie
Alogliptine	*Vipidia*			25 mg/j
Linagliptine	*Trajenta*			5 mg/j
Saxagliptine	*Onglyza*	Inhibiteurs de la DPP-4	*Per os*	
Sitagliptine	*Januvia* *Xelevia*			50–100 mg/j
Vidagliptine	*Galvus* *Jalra*			
Glipizide	*Glibénèse* *Ozidia*			5–20 mg/j
Glimépiride	*Amarel*	Sulfamidés hypoglycémiant	*Per os*	1–6 mg/j
Glibenclamide	*Daonil* *Hémi-Daonil*			2,5–15 mg/j
Glicazide	*Diamicron*			30–120 mg/j

Biguanides

- **Mécanisme d'action** : captation du glucose en périphérie *via* les récepteurs à insulines des cellules du muscle et du tissu adipeux. Inhibition de la production de glucose par le foie.
- **Posologie** : les doses sont ajustées individuellement.
- **Interactions majeures** : alcool.
- **Contre-indication** : hypersensibilité au produit (principe actif et excipients).
- **À surveiller** : les signes d'hypoglycémie liée à un surdosage (sueurs, tremblements, confusion asthénie, coma hypoglycémique).

Glinides (répaglinide)

- **Mécanisme d'action** : sécrétion de l'insuline par les cellules β du pancréas.
- **Posologie** : voir tableau 12.
- **Interactions majeures** : médicaments inhibiteurs/inducteurs du cytochrome p450 (CYP2C8). Inhibiteurs de l'enzyme de conversion (IEC), inhibiteurs de monoamine oxydase (IMAO), alcool.
- **Contre-indication** : hypersensibilité au produit (principe actif et excipients), insuffisance hépatique sévère. Grossesse et allaitement. Association aux sulfamidés hypoglycémiants
- **À surveiller** : la fonction rénale et hépatique. Les signes d'hypoglycémie liée à un surdosage (sueurs, tremblements, confusion asthénie, coma hypoglycémique).

Inhibiteurs des α-glucosidases

- **Mécanisme d'action** : captation du glucose en périphérie *via* les récepteurs à insulines des cellules du muscle et du tissu adipeux. Inhibition de la production de glucose par le foie.
- **Posologie** : les doses sont ajustées individuellement.
- **Interactions majeures** : alcool.
- **Contre-indication** : hypersensibilité au produit (principe actif et excipients).
- **À surveiller** : les signes d'hypoglycémie liée à un surdosage (sueurs, tremblements, confusion asthénie, coma hypoglycémique).

Inhibiteurs des DPP-4 (gliptines)

- **Mécanisme d'action** : captation du glucose en périphérie *via* les récepteurs à insulines des cellules du muscle et du tissu adipeux. Inhibition de la production de glucose par le foie.
- **Posologie** : les doses sont ajustées individuellement.
- **Interactions majeures** : alcool.

- **Contre-indication** : hypersensibilité au produit (principe actif et excipients).
- **À surveiller :** les signes d'hypoglycémie liés à un surdosage (sueurs, tremblements, confusion asthénie, coma hypoglycémique).

Sulfamidés hypoglycémiants

- **Mécanisme d'action :** captation du glucose en périphérie *via* les récepteurs à insulines des cellules du muscle et du tissu adipeux. Inhibition de la production de glucose par le foie.
- **Posologie :** les doses sont ajustées individuellement.
- **Interactions majeures :** alcool.
- **Contre-indication** : hypersensibilité au produit (principe actif et excipients).
- **À surveiller :** les signes d'hypoglycémie liés à un surdosage (sueurs, tremblements, confusion asthénie, coma hypoglycémique).

Semestre 3

10. Anticoagulants et antiagrégants

Rappels sur la coagulation

L'hémostase est un processus physiologique s'opposant à une hémorragie, c'est-à-dire à une perte de sang par lésion d'un vaisseau sanguin. La coagulation est le dernier des 3 temps de l'hémostase.

- **1er temps – le temps vasculaire** : le vaisseau lésé se contracte pour diminuer la taille de la brèche et ralentir la perte de sang.
- **2e temps – le temps plaquettaire** : les plaquettes sanguines s'agrègent les unes aux autres pour former un amas. Cet amas s'appelle le thrombus blanc et il ferme la brèche.
- **3e temps – le temps plasmatique** : c'est la consolidation du thrombus blanc par formation d'un réseau de fibrine qui emprisonne les globules rouges. On parle alors d'un caillot ou du thrombus rouge. C'est la coagulation. La formation de fibrine se fait après une cascade de transformation faisant intervenir les facteurs de la coagulation. Il est important de noter que pour fabriquer quatre facteurs de la coagulation, notre organisme a besoin de vitamine K. Il s'agit des facteurs II, VII, IX et X.

Plus tard ce caillot sera détruit : c'est l'étape de fibrinolyse.

L'activation pathologique de l'hémostase dans le compartiment vasculaire s'appelle **la thrombose**. On distingue deux grands types de thrombose :

- la **thrombose artérielle** : cette thrombose est étroitement liée à l'athérosclérose présente dans une artère. Les plaquettes s'agrègent anormalement sur la plaque d'athérosclérose. Les conséquences cliniques sont les maladies coronariennes et de nombreux accidents vasculaires cérébraux par embolie artérielle ;
- la **thrombose veineuse** : cette thrombose est liée à une stase circulatoire (ex. : une immobilisation prolongée, des varices, une tumeur qui comprime une veine…) et/ou une lésion de la paroi veineuse (ex. : un foyer infectieux, un cathéter de perfusion, etc.) et/ou une hyperactivité de la coagulation. Les conséquences cliniques sont la phlébite (appelée également thrombose veineuse profonde) et l'embolie pulmonaire qui résulte de la migration du caillot formé lors de la phlébite.

Héparines

Il existe deux familles d'héparine : les héparines non fractionnées (HNF) et les héparines de bas poids moléculaires (HBPM).

Aucune héparine ne s'administre par voie orale car l'héparine est détruite dans le tube digestif.

Le tableau 13 présente les caractéristiques des deux familles d'héparine.

En cas de thrombopénie induite par l'héparine, l'*Organan* (danaparoïde) peut être utilisé comme alternative pour le traitement préventif ou curatif des incidents thromboemboliques. L'*Organan* est injecté :

• en SC pour le traitement préventif ;
• en IV pour le traitement curatif.

Tableau 13. Caractéristiques des deux familles d'héparine.

	Héparines non fractionnées (HNF)	Héparines de bas poids moléculaires (HBPM)
Nom de médicament	– Héparine sodique : héparinate de sodium – Calciparine : héparinate de calcium – Etc.	– *Lovenox* : énoxaparine sodique – *Innohep* : tinzaparine sodique – *Fragmine* : daltéparine sodique – Etc.
Mécanisme d'action	Neutralise les facteurs IIa (thrombine) et Xa	Neutralise surtout le facteur Xa
Posologie	– Héparine sodique : 400–500 UI/kg/24 h en PSE – Calciparine : 500 UI/kg/24 h en 2 ou 3 injections pour un traitement curatif et 5 000 UI toutes les 12 heures pour un traitement préventif	Elle dépend de l'indication (traitement curatif d'une thrombose ou traitement préventif) et de l'HBPM elle-même Ex. : *Lovenox* et traitement curatif 100 UI/kg/12 h avec 2 inj./j Ex. : *Lovenox* et traitement préventif 1 injection de 4 000 UI/j pour un risque thrombotique élevé 1 injection de 2 000 UI/j pour un risque thrombotique faible
Délai et durée d'action	Action immédiate et d'une durée d'environ 4–5 h	Action rapide en 1–2 h après injection et pendant 12 h environ

(Suite)

Tableau 13. Suite.

	Héparines non fractionnées (HNF)	Héparines de bas poids moléculaires (HBPM)
Principales indications	Traitement curatif : – thrombose veineuse profonde – embolie pulmonaire – infarctus du myocarde et angor instable à la phase aiguë – embolie artérielle extracérébrale Traitement préventif : – accident thromboembolique artériel (héparine sodique) et veineux (calciparine) – dans le circuit de circulation extracorporelle et d'épuration extrarénale	Traitement curatif : – thrombose veineuse profonde – embolie pulmonaire – infarctus du myocarde et angor instable à la phase aiguë – embolie artérielle extracérébrale Traitement préventif : – accident thromboembolique veineux
Contre-indications	– Antécédent de thrombopénie et/ou allergie induite à l'héparine – Toute situation hémorragique – La période postopératoire après une chirurgie du cerveau ou de la moelle épinière	– Celles des HNF – L'insuffisance rénale : clairance à la créatinine plasmatique < 30 mL/min
Pratique IDE – surveillance du traitement	Héparine sodique : – perfusion continue intraveineuse avec un pousse-seringue électrique (PSE) – dilution de l'héparine dans du glucose 5 % ou du chlorure de sodium 0,9 % Calciparine : – 2 à 3 injections SC par jour, de préférence au niveau de la ceinture abdominale et en alternant le côté de l'injection (gauche ou droit) – l'aiguille doit être introduite perpendiculairement et non tangentiellement, dans l'épaisseur d'un pli cutané réalisé entre le pouce et l'index de l'opérateur	– De nombreuses HBPM sont commercialisées sous la forme seringue prête à l'emploi – Toutes les HBPM s'injectent en sous-cutanée de préférence au niveau de la ceinture abdominale et en alternant le côté de l'injection (gauche ou droit) – L'aiguille doit être introduite perpendiculairement et non tangentiellement, dans l'épaisseur d'un pli cutané réalisé entre le pouce et l'index de l'opérateur

(Suite)

Tableau 13. Suite.

	Héparines non fractionnées (HNF)	Héparines de bas poids moléculaires (HBPM)
	– Il faut dépister les effets indésirables : hématome, saignement spontané (nez, gencive, urine colorée, etc.) – Il faut surveiller le nombre de plaquettes dans le sang pour détecter toute thrombopénie, c'est-à-dire toute chute brutale du nombre de plaquettes. Cette thrombopénie induite par l'héparine (TIH) est une réaction allergique. Cette surveillance se fait 2 fois par semaine – Lorsque l'indication de l'HBPM et de l'HNF est à visée curative, il faut suivre l'héparinémie circulante. Le prélèvement sanguin doit être fait 4 à 5 h après l'injection – Il faut surveiller l'état du point de ponction	
Actions lors d'un surdosage	– Diminuer ou arrêter l'héparine – Et/ou injecter par voie intraveineuse l'antidote de l'héparine : la protamine	

PSE : pousse seringue électrique.

NB : le RCP du *Lovenox* a été revu par les autorités européennes en 2017. Si jusqu'à présent un DFG < 30 mL/min/m² contre-indiquait l'administration de *Lovenox* pour un traitement curatif, cette mise à jour a revu le seuil à 15 mL/min/m². Toutefois, il semble que cette révision soit toujours discutée. Par conséquent, il faut garder à l'esprit que chez l'insuffisant rénal, avec un DFG < 30 mL/min/m², il est préférable d'utiliser une HNF plutôt qu'une HBPM et à défaut si une HBPM est retenue, l'*Innohep* est celle qui doit être privilégiée.

Antivitaminiques K (AVK)

La vitamine K est indispensable à la synthèse hépatique de 4 facteurs de la coagulation.

Tous les AVK s'administrent par voie orale et ont un délai d'action bien plus long que celui des héparines.

On distingue **deux familles d'AVK** en fonction de leur demi-vie :

• ceux dont la **demi-vie est courte** (de 5 à 10 h) : *Sintrom* (acénocoumarol) ;

• ceux dont la **demi-vie est longue** (de 30 à 40 h) : *Préviscan* (fluindione) et *Coumadine* (warfarine).

La **principale indication** des AVK est en relais de l'héparinothérapie dès lors que l'anticoagulation s'avère prolongée, c'est-à-dire lors de :

• phlébite, embolie pulmonaire ;

• prévention des embolies artérielles (valve mécanique, arythmie complète par fibrillation auriculaire) ;

• prévention des maladies thromboemboliques récidivantes.

Le relais de l'héparine par l'AVK se fait sur plusieurs jours et nécessite pendant cette période d'avoir une coprescription d'héparine et d'AVK.

En effet, tant que l'INR (*international normalized ratio*), qui est le marqueur de l'efficacité biologique du traitement par AVK, n'a pas atteint la valeur cible, le traitement par héparine ne doit pas être arrêté.

La **surveillance de l'efficacité** de l'AVK se fait en mesurant l'INR. Étant donné la lenteur pour obtenir une efficacité, le premier contrôle de l'INR ne doit pas être fait avant le 3e jour d'administration de l'AVK. En fonction de la pathologie à traiter, l'INR est compris entre 2 et 4,5. À noter que plus la valeur de l'INR est élevée et plus le patient est anticoagulé.

Les principales **contre-indications** aux AVK sont :

- la grossesse pendant le 1er trimestre et les dernières semaines ;
- l'AVC ;
- les lésions hémorragiques ou susceptibles de saigner ;
- l'insuffisance rénale sévère.

Il est préférable d'éviter les injections de médicaments par voie IM, intra-artérielle ou intra-articulaire chez un patient traité par AVK car le risque d'hématome est très important.

En cas de surdosage par AVK, le patient se voit administrer de la vitamine K par voie IV et le traitement par AVK doit être temporairement arrêté.

Les principaux **effets secondaires** sont :

- les accidents hémorragiques et particulièrement lorsqu'il y a un surdosage par AVK ;
- les accidents allergiques ; l'ANSM a rappelé en 2017 que cet effet indésirable d'ordre immunoallergique est plus fréquent avec *Préviscan* (fluindione) qu'avec les deux autres AVK. Par conséquent, lors d'une initiation de traitement par AVK, l'ANSM recommande de privilégier *Sintrom* (acénocoumarol) ou *Coumadine* (warfarine) ;
- les nécroses cutanées.

Il existe de très **nombreuses interactions** avec les AVK :

- les médicaments augmentant l'effet anticoagulant : les antibiotiques à larges spectres (*Augmentin*, etc.), l'aspirine (*Aspégic*), les AINS (*Advil*, etc.), les antifongiques azolés (*Triflucan* voie orale, etc.) ;
- les médicaments diminuant l'efficacité des AVK : les inducteurs enzymatiques comme le *Tégrétol* (carbamazépine), le *Di-Hydan* (phénytoïne), la *Rifadine* (rifampicine), le millepertuis (plante utilisée en phytothérapie), etc. ;
- les aliments riches en vitamine K qui peuvent diminuer l'efficacité des AVK : les brocolis, les choux, les avocats, les tomates, les lentilles, etc.

L'éducation thérapeutique du patient traité par AVK est essentielle : il doit connaître le nom du médicament qu'il prend, la posologie, la valeur cible de l'INR pour sa maladie, les aliments et les médicaments qui peuvent modifier son INR. L'automédication doit être faite en prenant conseil auprès du médecin et/ou pharmacien.

Pratique IDE

Dans la **pratique IDE**, il est nécessaire de savoir :
- dépister les signes d'un surdosage (INR trop élevé) et informer le patient que tout saignement spontané, même mineur (gencives, nez, etc.) doit le conduire à alerter le médecin ;
- en cas d'oubli d'une prise, il ne faut pas prendre deux prises dans la même journée. La prise oubliée peut être prise dans un délai ne dépassant pas les 8 heures par rapport à l'heure de prise habituelle ;
- l'INR doit être fait le plus souvent possible dans le même laboratoire d'analyse biologique ;
- rappeler que l'automédication est à éviter et que l'alimentation peut interférer sur l'efficacité du traitement.

Nouveaux anticoagulants

Il existe de « nouveaux » anticoagulants depuis quelques années. Nous pouvons les distinguer en fonction de leur voie d'administration : voie injectable ou voie orale.

Par voie injectable

Il s'agit de l'*Arixtra* (fondaparinux).
Ce médicament est inhibiteur sélectif du facteur Xa.
Ses indications sont le traitement préventif ou curatif de différentes maladies thromboemboliques :
- traitement préventif des évènements thromboemboliques veineux (ETEV) en chirurgie orthopédique, en chirurgie abdominale ou pour les patients alités souffrant d'une affection médicale aiguë dans un cadre non chirurgical type insuffisance cardiaque, trouble respiratoire aigu, etc. ;
- traitement curatif des thromboses veineuses profondes (TVP) et des embolies pulmonaires (EP) ;
- traitement de certains syndromes coronariens aigus (SCA).

La posologie journalière varie en fonction de l'indication thérapeutique et est comprise entre 2,5 mg et 10 mg **en une seule injection quotidienne par voie sous-cutanée**.
Les **effets indésirables** du fondaparinux sont communs à tous les anticoagulants, c'est-à-dire un risque de saignement tels un saignement post-opératoire, un saignement digestif, un saignement urinaire, un hématome, etc. L'insuffisance rénale sévère, c'est-à-dire avec une clairance à la créatinine plasmatique < 20 mL/min est une contre-indication à son utilisation.

Semestre 3

Par voie orale

Ces médicaments sont aussi appelés les NACO pour « nouveaux anticoagulants oraux » ou les AOD pour « anticoagulants oraux directs ».

Il s'agit de *Pradaxa* (dabigatran), *Xarelto* (rivaroxaban) et *Eliquis* (apixaban).

Leurs caractéristiques sont résumées dans le tableau 14.

Un 4e principe actif a obtenu l'AMM, l'edoxaban *Lixiana*, mais en 2017 il n'est pas commercialisé en France.

Dans la **pratique IDE**, il est nécessaire de savoir que, pour ces trois anticoagulants :

- il n'y a pas de suivi biologique en routine de leur efficacité (contrairement à l'INR pour les AVK et l'activité anti-Xa pour les héparines avec une indication de traitement curatif) ;
- en cas de surdosage, d'hémorragies, d'interventions chirurgicales urgentes ou de doute sur l'observance, il peut être utile de doser spécifiquement la concentration de principe actif dans le sang ;
- depuis 2016, il existe un antidote spécifique du *Pradaxa* : il s'agit du *Praxbind* (idarucizumab). Le *Praxbind* est un anticorps monoclonal qui se lie très spécifiquement et uniquement au dabigatran (pas d'action sur les deux autres AOD). Cet antidote s'administre en IV à la posologie de 5 g ;
- la survenue d'un saignement spontané (épistaxis ou autre) doit être signalée en urgence au médecin ;
- *Xarelto* est le seul anticoagulant qui doit être administré avec un repas ;
- il n'y a pas de régime alimentaire spécifique à suivre pour réduire les interactions contrairement aux AVK ;
- en cas d'oubli, le médicament peut être pris immédiatement si cet oubli est de moins de 8 heures pour un médicament prescrit en une prise par jour et de moins de 4 heures pour un médicament prescrit en deux prises par jour. Si ce délai est supérieur, il faut prendre la prise suivante à l'heure prévue sans doubler la dose ;

Tableau 14. Nouveaux anticoagulants.

	Pradaxa (dabigatran)	*Xarelto* (rivaroxaban)	*Eliquis* (apixaban)
Mécanisme d'action	Inhibiteur du facteur IIa	Inhibiteur du facteur Xa	Inhibiteur du facteur Xa
Nombre de prises par jour	1 à 2 prises par jour en fonction de l'indication	1 à 2 prises par jour en fonction de l'indication	2 prises/j
Posologie	Elle dépend de : – l'indication thérapeutique – la fonction rénale		
Indications	– Traitement préventif des évènements thromboemboliques veineux en chirurgie orthopédique (hanche ou genou) – Traitement préventif des accidents vasculaires cérébraux (AVC) et des embolies systémiques chez les patients ayants de la fibrillation auriculaire (FA) – Traitement curatif des thromboses veineuses profondes (TVP) et des embolies pulmonaires (EP) et prévention des récidives sous forme de TVP et d'EP		
Effets indésirables communs	– Risque d'incidents hémorragiques : saignement postopératoire ou digestif ou urinaire ou hématome		

Pratique IDE

Dans la pratique IDE, **l'éducation thérapeutique est essentielle** pour ces médicaments tout comme avec les AVK. Le patient doit avoir le réflexe de signaler à tout personnel de santé qu'il prend un traitement anticoagulant. Des interactions médicamenteuses existent entre les AOD et les médicaments inhibant le cytochrome P450 (ex. : antifongiques azolés, inhibiteurs de protéases du VIH, etc.) et les médicaments inhibant la P-gp (ex. : amiodarone, vérapamil, etc.). Pour rappel, le cytochrome P450 est une enzyme qui participe à la métabolisation et donc à l'inactivation de nombreux médicaments et la P-gp est une protéine qui diminue l'absorption digestive des médicaments et qui augmente leur élimination de l'organisme. Le millepertuis, médicament de phytothérapie, interfère aussi avec les AOD (tout comme avec les AVK).

Antiagrégants plaquettaires

Ils inhibent le 2e stade de formation du caillot en empêchant les plaquettes de s'agréger les unes aux autres pour former un amas appelé aussi clou plaquettaire ou thrombus blanc.

Les **principales indications** d'un traitement antiagrégant sont :

- traitement adjuvant au cours des syndromes coronariens aigus (infarctus, angor instable) et des interventions sur les artères coronaires (angioplastie avec ou sans pose de stent);
- prévention des récidives après un infarctus du myocarde (noté IDM), un accident vasculaire cérébral (noté AVC);
- prévention de l'AVC et de l'IDM au cours de l'artériopathie chronique oblitérante des membres inférieurs;
- prévention des thromboses chez les patients atteints d'un syndrome myéloprolifératif avec hyperplaquettose.

Aspirine (acide acétylsalicylique)

L'aspirine inhibe le thromboxane A_2 qui intervient dans l'agrégation plaquettaire.

Son effet antiagrégant s'observe à faible dose : de l'ordre de 75 à 325 mg/j en une prise.

Les médicaments commercialisés avec cette indication antiagrégante sont le *Kardégic* poudre en sachet par voie orale et l'*Aspirine Protect* en comprimé gastrorésistant.

En situation d'urgence (infarctus), l'acide acétylsalicylique injectable est utilisé : *Aspégic* ou *Kardégic* administré en intraveineux.

Son action est puissante et son effet persiste 7 à 10 jours après la dernière prise (c'est-à-dire la durée de vie de la plaquette).

C'est un **antiagrégant essentiel** dans le traitement préventif des complications cardiovasculaires (angor stable, infarctus, AOMI) et cérébrovasculaires (accident ischémique transitoire AIT, accident vasculaire cérébral AVC) liées à l'athérosclérose.

Cebutid (flurbiprofène)

Sa particularité est d'avoir un effet antiagrégant réversible. Lorsque le *Cebutid* est arrêté, l'effet antiagrégant s'arrête 24 heures après la dernière prise.

Sa posologie habituelle est de 50 mg, 2 fois/j.

En pratique, il est **très peu prescrit**. Sa principale utilisation est d'être prescrit à la place de l'aspirine lorsqu'une intervention chirurgicale est programmée. Dans ce cas, l'aspirine est arrêtée 7 à 15 jours avant l'intervention. Il est alors parfois remplacé par le *Cebutid* et ce dernier est arrêté la veille de l'intervention.

Plavix (clopidogrel)

Le *Plavix* inhibe l'agrégation plaquettaire de manière irréversible. Son mécanisme d'action est le blocage de l'activation des plaquettes (pour former un thrombus) par inhibition de la fixation de l'adénosine diphosphate (ADP) sur le récepteur plaquettaire P2Y12.

Cet antiagrégant est indiqué chez les patients souffrant d'un infarctus du myocarde, d'AOMI ou d'un accident vasculaire cérébral ischémique.

Cet antiagrégant s'administre par voie orale à la dose habituelle de 75 mg/j en une prise journalière. Lors d'un infarctus du myocarde, une dose de charge de 300 mg est administrée le premier jour ; les jours suivants la dose sera de 75 mg/j.

Plavix doit être arrêté au moins une semaine avant une intervention chirurgicale si l'effet antiagrégant plaquettaire n'est temporairement pas souhaitable.

Efient (prasugrel)

Tout comme *Plavix*, *Efient* inhibe de manière irréversible l'agrégation plaquettaire. Le mécanisme d'action pharmacologique d'*Efient* est le même que celui de *Plavix*.

Efient doit être initié à une dose de charge unique de 60 mg, puis poursuivi par une dose de 10 mg une fois par jour.

Cet antiagrégant n'est jamais prescrit seul. Il est toujours prescrit en association avec l'acide acétylsalicylique (dose de 75 mg à 325 mg). *Efient* est indiqué chez les patients ayant fait un infarctus du myocarde et/ou venant de bénéficier de la pose d'un stent coronaire.

Brilique (ticagrelor)

Brilique inhibe l'agrégation plaquettaire de façon réversible. Le mécanisme d'action pharmacologique de *Brilique* est le même que celui de *Plavix*.

Le traitement doit être commencé à une dose de charge unique de 180 mg puis poursuivi à la dose de 90 mg deux fois par jour.

Brilique n'est jamais prescrit seul mais toujours en association avec l'acide acétylsalicylique (dose de 75 mg à 325 mg). *Brilique* a les mêmes indications qu'*Efient*.

Brilique existe en comprimé pelliculé comme *Efient* et *Plavix*. Depuis la fin d'année 2017, *Brilique* existe aussi en comprimé orodispersible. Cette présentation, réservée pour l'instant à l'usage hospitalier, présente l'avantage de permettre une administration *via* une sonde nasogastrique.

Semestre 3

Pratique IDE

- Le principal effet indésirable commun à tous les antiagrégants est celui d'avoir des incidents hémorragiques. Ceci est lié leur propriété d'empêcher l'agrégation des plaquettes les unes aux autres.
- Les contre-indications du clopidogrel, du prasugrel et du ticagrelor sont communes à savoir tout saignement pathologique en cours (comme un ulcère gastroduodénal, une hémorragie intracrânienne, etc.) et l'insuffisance hépatique sévère.
- *Plavix*, *Efient* et *Brilique* sont trois antiagrégants qui ont le même mécanisme d'action. Toutefois, en pratique et selon les études cliniques, l'effet antiagrégant de *Brilique* est supérieur aux deux autres antiagrégants de cette même famille.
- Dans de nombreuses situations cliniques telles l'infarctus, la pose de stent, etc., le recours à une bithérapie d'antiagrégants plaquettaire à base d'aspirine est recommandé (ex. : *Kardégic* associé à *Brilique* ou *Kardégic* associé à *Plavix* ou *Kardégic* associé à *Efient*).
- En cas de chirurgie programmée, l'analyse du rapport bénéfice/risque du traitement antiagrégant en cours est à évaluer par l'équipe médicochirurgicale pour décider de maintenir ou suspendre temporairement le(s) traitement(s).
- Il s'agit de médicaments prescrits pour des maladies chroniques : l'éducation thérapeutique est essentielle.

11. Diurétiques

Introduction

Les diurétiques sont des médicaments incontournables dans la prise en charge de l'HTA, de l'insuffisance cardiaque et de l'insuffisance rénale chronique.

Tous les diurétiques ont pour but de favoriser l'élimination du sodium (Na^+) du compartiment vasculaire vers les urines. La conséquence de cette élimination de Na^+ est une élimination d'eau se faisant dans le même sens, c'est-à-dire du compartiment vasculaire vers les urines.

Il est habituel de classer les diurétiques en fonction de leur action sur le potassium (K^+). Il existe ainsi deux classes de diurétiques :
- les **diurétiques dont le mécanisme d'action peut provoquer une hypokaliémie** : c'est le cas de la famille des diurétiques de l'anse et des diurétiques thiazidiques ;
- les **diurétiques pouvant provoquer une hyperkaliémie** : famille des diurétiques antialdostéroniques et famille des diurétiques hyper-kaliémiants avec effet antihypertenseur.

Diurétiques de l'anse de Henlé

Mécanisme d'action

Ces diurétiques bloquent la réabsorption du Na^+, du K^+ et du chlore (Cl^-) au niveau de la branche ascendante de l'anse de Henlé. Ces trois ions ne repassent donc pas des urines vers le sang.

L'eau suivant le «mouvement» du Na^+, elle n'est pas réabsorbée et reste dans les urines.

Cette famille est composée essentiellement de deux principes actifs : furosémide (*Lasilix*) et bumétanide (*Burinex*).

D'un point de vue chimique, les diurétiques de l'anse sont des sulfamides.

Leur action est rapide et relativement brève après l'administration : action dans les 30 à 60 minutes après administration et durée d'environ 6 à 8 heures.

Indications thérapeutiques et formes galéniques

Administrés par **voie orale**, ils sont indiqués dans le traitement de :
- HTA ;
- insuffisance cardiaque ;
- insuffisance rénale.

Administrés par **voie intraveineuse**, ils permettent surtout le traitement de l'œdème aigu du poumon (OAP).

Le tableau 15 présente les posologies usuelles.

Tableau 15. Diurétiques de l'anse : noms, formes galéniques et posologies usuelles.

Classe	DCI	Voie d'administration	Forme galénique	*Princeps*	Posologie journalière
Diurétique de l'anse	Furosémide	Orale	Cp	*Lasilix* et *Lasilix Spécial*	20 à 500 mg
			Sirop	*Lasilix*	20 à 160 mg
			Gél. LP	*Lasilix Retard*	60 à 120 mg
		Injectable	Amp. en IV	*Lasilix* et *Lasilix Spécial*	Jusqu'à 1 500 mg
	Bumétanide	Orale	Cp	*Burinex*	1 à 20 mg
		injectable	Amp. en IV		0,5 à 30 mg

LP : libération prolongée ; IV : intraveineux.

Effets indésirables

- Hypokaliémie.
- Hyponatrémie, déshydratation, hypovolémie.
- Hypotension orthostatique.
- Hyperuricémie (avec parfois crise de goutte).

Contre-indications

- Allergie aux sulfamides.
- Insuffisance rénale par obstruction urinaire.
- Grossesse : le bumétanide est contre-indiqué lors de la grossesse et le furosémide est déconseillé.

Diurétiques thiazidiques

Mécanisme d'action

Ces diurétiques ont deux actions :
- ils empêchent la réabsorption du Na^+ et du Cl^- du compartiment urinaire vers le compartiment vasculaire ;
- ils augmentent l'élimination du K^+ du compartiment vasculaire vers les urines.

Cette famille est composée de 2 médicaments : l'hydrochlorothiazide (*Esidrex*) et l'indapamide (*Fludex*)

D'un point de vue chimique, ces diurétiques sont des sulfamides (tout comme les diurétiques de l'anse).

Le délai d'action de ces diurétiques est plus lent que celui des diurétiques de l'anse (2–3 h) et leur action dure plus longtemps (de l'ordre de 12 h).

Indications thérapeutiques et formes galéniques

Les principales sont :
- l'HTA → c'est le traitement de premier choix de l'HTA;
- Insuffisance cardiaque;
- les œdèmes d'origine cardiaque ou rénale.

Le tableau 16 présente les posologies usuelles.

Tableau 16. **Diurétiques thiazidiques : noms, formes galéniques et posologies usuelles.**

DCI	Princeps	Forme galénique	Posologie usuelle/j
Hydrochlorothiazide	*Esidrex*	Comprimé	6,25 à 25 mg
Indapamide	*Fludex LP*	Comprimé Comprimé LP	1,5 à 2,5 mg

LP : libération prolongée.

Notons que l'hydrochlorothiazide est associé à de nombreux principes actifs indiqués dans le traitement de l'HTA : *Co-Renitec* (hydrochlorothiazide-énalapril), *CoAprovel* (hydrochlorothiazide-irbésartan), *Cokenzen* (hydrochlorothiazide-candésartan), *Co-Tareg* (association hydrochlorothiazide-valsartan), etc.

Effets indésirables

Les mêmes effets indésirables que les diurétiques de l'anse :
- hypokaliémie;
- hyponatrémie, déshydratation, hypovolémie;
- hypotension orthostatique;
- hyperuricémie (avec parfois crise de goutte).

Contre-indications

- Allergie aux sulfamides.
- Insuffisance rénale sévère, c'est-à-dire avec une clairance à la créatinine < 30 mL/min.
- Grossesse.

Diurétiques hyperkaliémiants antialdostéroniques

Mécanisme d'action

Les diurétiques anti-aldostéroniques bloquent les récepteurs où agit l'aldostérone. L'aldostérone a pour action de permettre la réabsorption de Na^+ des urines vers le sang et l'élimination de K^+ du sang vers les urines.

Par conséquent, les diurétiques anti-aldostéroniques vont favoriser l'accumulation de Na^+ dans les urines et l'accumulation de K^+ dans le sang. Les deux principes actifs de cette famille sont le spironolactone (*Aldactone*) et l'éplérénone (*Inspra*).

Le délai d'action de ces médicaments est de l'ordre de 24 heures et l'action obtenue dure environ 24 heures.

Indications thérapeutiques et formes galéniques

- HTA : pour spironolactone (éplérénone n'a pas cette indication).
- Traitement de l'insuffisance cardiaque chronique avancée (avec une fraction d'éjection du ventricule gauche < 35 %).

Tableau 17. **Diurétiques hyperkaliémiants antialdostéroniques : noms, formes galéniques et posologies usuelles.**

DCI	Princeps	Forme galénique	Posologie usuelle/j
Spironolactone	*Aldactone*	Cp Gél.	25 à 150 mg
Éplérénone	*Inspra*	Cp	25 à 50 mg

Ces médicaments n'existent que par voie orale.
Ils sont indiqués dans le traitement de maladie chronique et non dans une phase aiguë de la maladie.

Effets indésirables

- Hyperkaliémie
- Troubles endocriniens surtout avec le spironolactone type gynécomastie, troubles des règles, impuissance. Ces effets indésirables sont moins fréquents avec l'éplérénone.

Contre-indications

- Hyperkaliémie.
- Insuffisance rénale sévère ou modérée.

Diurétiques hyperkaliémiants avec effet antihypertenseur

Cette «famille» est composée d'un seul principe actif : l'amiloride (*Modamide*).

Ce médicament existe uniquement en comprimé et possède deux indications :

• HTA ;

• les œdèmes d'origine cardiaque.

Son principal effet indésirable est l'hyperkaliémie (il n'y a pas de trouble endocrinien).

Pratique IDE

• L'IDE doit rappeler au patient que les diurétiques vont augmenter la diurèse du patient et qu'il est donc normal d'uriner plus. Il faut éviter de prendre le diurétique le soir pour ne pas être gêné pendant la nuit.

• L'IDE doit rappeler au patient qu'un suivi régulier du poids (1 fois par semaine) est essentiel pour suivre l'efficacité du traitement et/ou l'évolution de la maladie. Une prise de poids de 2–3 kilos en une semaine doit alerter le patient. Dans un tel cas le patient devra avoir le réflexe de contacter son médecin.

• De même, le suivi de la pression artérielle peut être un bon reflet de l'efficacité du traitement et/ou l'évolution de la maladie.

• Les règles hygiénodiététiques relatives à la maladie seront à évoquer régulièrement au patient en ayant une attention particulière sur les apports en Na^+ ; au besoin orienter le patient vers une consultation d'éducation thérapeutique et/ou de diététique pour mieux gérer les apports en Na^+.

• En cas d'hypotension orthostatique il faut expliquer au patient qu'il faut se rasseoir quelques minutes avant de se lever (éviter de passer de la position allongée à debout trop rapidement).

• Un suivi biologique est nécessaire lorsqu'un patient est traité par diurétique, avec un focus particulier sur la natrémie, la kaliémie, la créatinine plasmatique, l'uricémie et l'urée plasmatique.

• L'IDE doit dépister les signes d'hyperkaliémie : crampes musculaires, vomissements et anxiété.

• En cas d'hypo- ou d'hyperkaliémie importante la réalisation d'un ECG en urgence peut être nécessaire.

• En cas d'hypokaliémie un traitement substitutif peut être prescrit, type *Diffu-K* ou *Kaleorid*.

• En cas d'hyperkaliémie un traitement visant à réduire la kaliémie peut être prescrit : *Kayexalate*.

- Il est possible de prescrire deux diurétiques simultanément sous réserve qu'ils ne soient pas de la même famille. En général, il s'agit d'associer un diurétique hypokaliémiant avec un diurétique hyperkaliémiant.
- L'IDE doit être particulièrement vigilant dès lors qu'un diurétique est prescrit avec autres médicaments pouvant provoquer une hyper- ou une hypokaliémie :
  - médicaments pouvant provoquer une hypokaliémie : laxatif stimulant (*Dulcolax*, *Jamylène*), les corticoïdes, l'amphotéricine B injectable ;
  - médicaments pouvant provoquer une hyperkaliémie : inhibiteur d'enzyme de conversion (énalapril, périndopril, etc.), inhibiteur de l'angiotensine II (valsartan, losartan, etc.).
- Enfin penser que :
  - certains sels de substitution sont pauvres en Na^+ mais riches en K^+, donc à risque d'hyperkaliémie ;
  - la réglisse est hypokaliémiante ;
  - l'association AINS + diurétique peut provoquer de l'insuffisance rénale aiguë.

12. Médicaments du système rénine angiotensine

Introduction

Le **système rénine angiotensine** participe à l'adaptation de la fonction cardiocirculatoire (pression artérielle et volémie) dans l'organisme. Schématiquement :

- l'angiotensinogène est un médiateur produit par le foie ;
- le rein produit une enzyme qui s'appelle la rénine et dont une des fonctions est de transformer l'angiotensinogène en angiotensine I ;
- le poumon produit une enzyme appelée l'enzyme de conversion. Cette enzyme va transformer l'angiotensine I en angiotensine II. L'enzyme de conversion participe également à la métabolisation de la bradykinine.

Les propriétés physiologiques de l'angiotensine II sont :

- une vasoconstriction directe des artérioles ;
- une stimulation, directement au niveau du rein, de la réabsorption du Na^+, c'est-à-dire un passage du Na^+ du rein vers le compartiment vasculaire. Pour rappel l'eau suit toujours le Na^+ ;
- une stimulation de la sécrétion d'aldostérone dont le rôle est d'augmenter la réabsorption du Na^+ au niveau du rein et donc de l'eau ;
- une stimulation du système neveux sympathique avec augmentation de la libération de noradrénaline provoquant une accélération du rythme cardiaque et une vasoconstriction.

Au total, l'angiotensine II a une action de vasoconstriction, d'augmentation de la volémie (en réabsorbant du Na^+ des urines vers le sang) et d'accélération du rythme cardiaque. Tout ceci contribue à élever la pression artérielle.

Il existe deux grandes classes thérapeutiques de médicaments bloquant sur le système rénine-angiotensine :

- les **IEC** ou inhibiteurs de l'enzyme de conversion ;
- les **ARA II** ou antagonistes des récepteurs de l'angiotensine II. Cette famille est aussi appelée famille des sartans.

Mécanisme d'action

Mécanisme d'action des *IEC*

Les IEC inhibent la conversion de l'angiotensine I en angiotensine II. Leur efficacité thérapeutique est donc liée à l'absence de production d'angiotensine II. La non-production d'angiotensine II se traduit par une **action antihypertensive**.

L'autre conséquence des IEC en inhibant la rénine est la moindre dégradation de la bradykinine. L'élévation de la concentration en bradykinine dans l'organisme pourra se traduire chez certains patients par la survenue d'une toux sèche spécifique des IEC.

Les noms des principes actifs de cette famille se terminent par « -pril » ; ex. : captopril, périndopril, énalapril, etc.

Mécanisme d'action des *ARA II*

Ces principes actifs bloquent les récepteurs que stimule habituellement l'angiotensine II. L'angiotensine II de l'organisme peut alors difficilement jouer son rôle et il en résulte une **action antihypertensive**.

Les principes actifs de cette famille ont des noms se terminant par « -sartan » (ex. : losartan, candésartan, valsartan, etc.).

Les IEC et les ARA II ont la même efficacité.

Indications thérapeutiques, formes galéniques et posologies

Les principales indications des IEC et des sartans sont :
• l'HTA : pour tous les IEC et tous les sartans ;
• l'insuffisance cardiaque ;
• le post-infarctus du myocarde ;
• la néphropathie du diabétique avec ou sans HTA.

Il faut noter que tous les IEC et les sartans ne possèdent pas ces quatre indications.

Le tableau 18 présente les noms et posologies des principaux IEC.

Tableau 18. **Inhibiteurs de l'enzyme de conversion (IEC) : noms, formes galéniques et posologies usuelles.**

DCI	Nom commercial	Formes galéniques	Posologies usuelles/j
Énalapril	*Renitec*	Cp	2,5 à 20 mg
Périndopril	*Coversyl*	Cp	2,5 à 10 mg
Captopril	*Lopril*	Cp	25 à 150 mg
Lisinopril	*Zestril*	Cp	5 à 40 mg

Le tableau 19 présente les noms et posologies des principaux IEC.

Tableau 19. **Antagonistes des récepteurs de l'angiotensine II (ARA II) : noms, formes galéniques et posologies usuelles.**

DCI	Nom commercial	Formes galéniques	Posologies usuelles/j
Candésartan	*Atacand* *Kenzen*	Cp	4 à 32 mg
Losartan	*Cozaar*	Cp Susp. buv.	50 à 100 mg
Irbésartan	*Aprovel*	Cp	75 à 300 mg
Valsartan	*Tareg* *Nisis*	Cp Susp. buv.	40 à 320 mg

Tous ces médicaments, IEC et ARA II, sont «anciens». Ils sont donc également commercialisés avec un nom générique.

Un grand nombre d'IEC et de sartans sont commercialisés en association avec une petite dose d'hydrochlorothiazide (diurétique thiazidique), comme : *Co-Renitec*, *Cotriatec*, *CoAprovel*, *Co-Tareg*, *Cokenzen*.

Aucun IEC ou sartan n'est commercialisé sous forme injectable. En effet, ils ne sont pas indiqués à la phase aiguë des différentes maladies dans lesquelles ils sont indiqués. Il s'agit de médicament de pathologies chroniques.

Effets indésirables

- Hypotension artérielle, hypotension orthographique : asthénie, vertiges.
- Insuffisance rénale.
- Hyperkaliémie.
- Toux sèche (toux d'irritation) : spécifique des IEC.
- Réaction allergique type angio-œdème : œdème cutané, œdème sous cutanée et/ou œdème des muqueuses pouvant toucher tous les organes dont la face, le larynx, le tube digestif, etc.

Contre-indications

- La grossesse aux 2e et 3e trimestres.
- L'allergie connue aux IEC.

Pratique IDE

- Certaines associations de médicaments avec les IEC et/ou ARA II sont à risque, dont :
  - les diurétiques hyperkaliémiants + IEC ou ARA II : risque majoré d'hyperkaliémie ;
  - les AINS + IEC ou ARA II : risque d'insuffisance rénale ;
  - les médicaments avec du lithium (*Théralithe* : médicament avec indications psychiatriques) + IEC ou ARA II : risque d'augmentation de la concentration plasmatique en lithium.
- L'IDE doit rappeler au patient qu'il doit suivre sa tension artérielle car ces médicaments sont hypotenseurs.
- L'IDE doit garder à l'esprit que, comme avec les β-bloquants, un traitement par IEC se débute souvent avec une faible posologie journalière. La posologie est ensuite augmentée en fonction de l'efficacité et de la tolérance du traitement.
- L'IDE doit prévenir le patient qu'il peut faire de l'hypotension orthostatique. Dans ce cas rassurer le patient et lui préciser qu'il ne doit pas arrêter son traitement mais en parler à son médecin. La posologie sera alors possiblement diminuée. Si le patient ressent des signes d'hypotension orthostatique, il faut lui conseiller de se coucher et de se relever lentement au bout de quelques minutes (éviter un passage « brusque » de la position allongée à debout).
- Le sujet âgé est particulièrement à risque d'hypotension avec les IEC et les ARA II.
- L'IDE doit voir avec le patient si la créatinine plasmatique et la kaliémie sont des paramètres biologiques mesurés régulièrement par le médecin : environ tous les 6 mois.
- L'IDE doit expliquer au patient que les AINS sont à éviter pour traiter en « automédication » des maux de tête et autres douleurs musculaires ou articulaires. Il est préférable de prendre du paracétamol.

13. Les β-bloquants

Introduction

Les β-bloquants sont une classe thérapeutique essentielle dans la prise en charge des patients souffrant de maladie cardiovasculaire telle l'HTA, l'angor, l'insuffisance cardiaque et certains troubles du rythme cardiaque.

Les dénominations communes internationales (DCI) des médicaments de cette classe se terminent toutes par le radical « -lol » (ex. : bisoprolol, aténolol, métoprolol, etc.).

Mécanisme d'action et propriétés pharmacologiques

À l'état naturel, de nombreuses cellules humaines possèdent à leur surface des récepteurs β. Ces récepteurs s'activent par le biais des catécholamines (adrénaline et noradrénaline essentiellement).

Il existe dans l'organisme deux grandes classes de récepteurs β : les récepteurs β1 et les récepteurs β2.

Le tableau 20 présente la localisation préférentielle des récepteurs β1 et β2 dans l'organisme ainsi que la conséquence sur les organes de leur stimulation.

Au total et de manière schématique, la stimulation des récepteurs β permet la réalisation d'un effort physique par l'organisme, c'est-à-dire :

Tableau 20. **Localisation des récepteurs β et conséquences de leur activation.**

Type de récepteurs β	Localisation majoritaire des récepteurs	Action suite à la stimulation des récepteurs
Récepteurs β1	Cœur	Chronotrope + : augmentation de la fréquence de contraction Inotrope + : augmentation de la force de contraction Bathmotrope + : augmentation de l'excitabilité Dromotrope + : augmentation de la vitesse de conduction
	Rein	Augmentation de la sécrétion de rénine (hormone transformant l'angiotensinogène en angiotensine I et permettant une augmentation de la pression artérielle)

(Suite)

Tableau 20. **Suite.**

Type de récepteurs β	Localisation majoritaire des récepteurs	Action suite à la stimulation des récepteurs
Récepteurs β2	Vaisseaux sanguins	Relaxation des fibres musculaires lisses = vasodilatation
	Bronches	Relaxation des fibres musculaires lisses = bronchodilatation
	Foie et pancréas	Foie : augmentation de la glycogénolyse (= production de glucose) Pancréas : augmentation de la sécrétion de glucagon permettant la glycogénolyse

une augmentation des apports en oxygène (bronchodilatation), une augmentation des apports sanguins aux muscles actifs et du cœur, une augmentation du débit cardiaque (contraction plus rapide et plus efficace) et augmentation de la production de glucose.

Les médicaments β-bloquants sont des médicaments qui se fixent sur les récepteurs β de l'organisme et qui empêchent ainsi toute stimulation de ces récepteurs par les catécholamines. Les β-bloquants sont des médicaments antagonistes compétitifs et réversibles des récepteurs β.

Les propriétés pharmacologiques des β-bloquants sont les suivantes :
- par **blocage des récepteurs β1** :
  - au niveau du **cœur** : un effet chronotrope (-), un effet inotrope (-), un effet bathmotrope (-) et un effet dromotrope (-), soit un **ralentissement du rythme cardiaque (*i.e.* : bradycardie) et une diminution de la force de contraction du myocarde**,
  - au niveau du **rein** : une diminution de la sécrétion de rénine, soit une diminution de la synthèse d'angiotensine II (*cf.* chapitre 12 : «Médicaments du système rénine angiotensine»). Il s'ensuit une **diminution de la pression artérielle**;
- par **blocage des récepteurs β2** :
  - au niveau des vaisseaux sanguins : une vasoconstriction,
  - au niveau des bronches : une bronchoconstriction,
  - au niveau du foie et du pancréas; une diminution de la glycogénolyse.

Le blocage des récepteurs β1 correspond aux effets pharmacologiques attendus et recherchés lors de la prescription d'un β-bloquant à un patient. En revanche, le blocage des récepteurs β2 explique les principaux effets indésirables de cette classe thérapeutique.

Classification

La classification β-bloquants se fait principalement en tenant compte de deux paramètres :

- la **cardiosélectivité** : il s'agit de médicament bloquant préférentiellement les récepteurs β1 et dans une moindre mesure les récepteurs β2. Les β-bloquants cardiosélectifs ont donc moins d'effets indésirables liés au blocage des récepteurs β2, c'est-à-dire principalement une bronchoconstriction moins fréquente ;
- l'**activité sympathomimétique intrinsèque** (dite ASI) : il s'agit de médicament qui, tout en bloquant les récepteurs β, possèdent une faible capacité à stimuler ces mêmes récepteurs β. Les β-bloquants avec une propriété ASI ont donc une moindre efficacité. Ils sont dits β agonistes partiels.

Le tableau 21 présente les principaux β-bloquants commercialisés (en DCI et en nom de marque) selon cette classification.

Tableau 21. Noms des β-bloquants en fonction de la cardiosélectivité et l'activité sympathomimétique intrinsèque.

β-bloquants non cardiosélectifs		β-bloquants cardiosélectifs (blocage surtout des récepteurs β1)	
Sans ASI	Avec ASI	Sans ASI	Avec ASI
Carvédilol (*Kredex*) Nadalol (*Corgard*) Propranolol (*Avlocardyl*) Sotalol (*Sotalex*)	Pindolol (*Visken*)	Aténolol (*Ténormine*) Bisoprolol (*Détensiel, Bisoce*) Métoprolol (*Lopressor, Seloken*) Nébivolol (*Temerit*)	Acébutolol (*Sectral*) Céliprolol (*Célectol*)

Indications thérapeutiques, formes galéniques et posologies

- Les principales **indications** thérapeutiques des β-bloquants sont le traitement :
  - de l'**angor** : en ralentissant le rythme cardiaque (*i.e.* : bradycardie) et en diminuant la force de contraction du myocarde par blocage des récepteurs β1, les β-bloquants provoquent une diminution de la consommation en oxygène par le myocarde. Les β-bloquants réduisent donc l'apparition de l'ischémie myocardique. C'est pourquoi certains β-bloquants sont indiqués dans l'angor stable et en post-infarctus du myocarde. C'est le cas de : acébutolol, aténolol, bisoprolol, métoprolol et propranolol ;

– de l'**HTA** : le traitement de première intention de l'HTA repose sur la prescription de diurétiques ou d'IEC ou d'ARA II (*cf.* chapitres 11 et 12 : «Diurétiques» et «Médicaments du système rénine angiotensine») ou d'inhibiteur calcique. Les β-bloquants, diminuent la production d'angiotensine II, par blocage des récepteurs β1 au niveau rénal. Il s'ensuit une diminution de la pression artérielle. Les β-bloquants sont recommandés dans certains cas d'HTA, c'est-à-dire quand l'HTA est associée à d'autres maladies dont l'angor, l'insuffisance cardiaque ou la fibrillation atriale. Les β-bloquants sont également indiqués pour traiter l'HTA chez la femme enceinte ; les IEC, les ARA II et les diurétiques thiazidiques (hydrochlorothiazide – *Esidrex*) étant contre-indiqués pendant la grossesse. Les principaux β-bloquants indiqués dans le traitement de l'HTA sont : acébutolol, aténolol, bisoprolol, métoprolol et propranolol ;

– de l'**insuffisance cardiaque** : ce sont les effets cardiovasculaires obtenus par blocage des récepteurs β1 qui expliquent l'intérêt thérapeutique des β-bloquants dans le traitement de l'insuffisance cardiaque. Les principes actifs indiqués dans ce traitement sont : bisoprolol, carvédilol, métoprolol et nébivolol ;

– de **troubles du rythme cardiaque** : les β-bloquants ont un effet antiarythmique par blocage des récepteurs β1 situés sur le myocarde. La principale indication est la fibrillation auriculaire (FA). Les β-bloquants possédants l'AMM dans le traitement de la FA sont : acébutolol, aténolol, métoprolol et sotalol.

• Les formes galéniques :
– les β-bloquants sont indiqués dans le traitement de maladie chronique. Par conséquent, ils sont prescrits quasi exclusivement sous forme de médicaments administrés *per os*. Il s'agit de comprimés ou de gélules à libération immédiate (LI) ou à libération prolongée (LP) ;
– certains β-bloquants existent sous forme injectable et s'administrent en intraveineux pour des situations d'urgence.

• Les posologies :
– le traitement par β-bloquants est généralement débuté à faible posologie ;
– la dose journalière est réévaluée régulièrement et augmentée par palier. Si les effets indésirables sont trop gênants et/ou empêchent une bonne observance, la posologie doit être diminuée.

Le tableau 22 présente les noms et posologies des principaux β-bloquants.

Tableau 22. β-bloquants : noms, formes galéniques et posologies usuelles.

DCI	Nom commercial	Formes galéniques	Posologies usuelles/j
Aténolol	*Ténormine*	Cp Gél. Injectable IV	50 à 200 mg 5 à 10 mg (en IV)
Bisoprolol	*Détensiel* *Bisoce*	Cp	1,25 mg à 10 mg
Métoprolol	*Lopressor* *Seloken*	Cp Cp LP	50 à 200 mg
Nébivolol	*Temerit*	Cp	1,25 à 10 mg
Acébutolol	*Sectral*	Cp Cp LP Sirop buv.	400 à 800 mg
Propranolol	*Avlocardyl*	Cp Cp LP Injectable IV	40 à 160 mg 1 mg/min sans dépasser 10 mg (en IV)
Sotalol	*Sotalex*	Cp	80 à 320 mg

LP : libération prolongée ; IV : intraveineux.

Effets indésirables

Ces effets indésirables se déduisent des récepteurs bloqués.
Le blocage des récepteurs β1 peut provoquer :
- une asthénie → il s'agit d'une gêne et/ou fatigue observée lors d'un effort physique (les apports en oxygène étant réduits) ;
- une bradycardie ;
- un bloc auriculoventriculaire (BAV) ;
- une hypotension artérielle ;
- une aggravation d'une insuffisance cardiaque non contrôlée.

Le blocage des récepteurs β2 peut provoquer :
- une bronchoconstriction excessive déséquilibrant un asthme ou une bronchopneumopathie obstructive (BPCO) ;
- une vasoconstriction pouvant exacerber un syndrome de Raynaud ou provoquer un spasme coronaire ;
- une hypoglycémie.

Les autres effets indésirables notables sont les cauchemars et l'impuissance ; ce dernier pouvant conduire à l'inobservance du traitement par le patient.

En fonction de la sévérité de ces effets indésirables le prescripteur peut décider de réduire la posologie ou de changer de classe thérapeutique.

Contre-indications

Les principales sont :
- la bradycardie sévère ;
- l'hypotension artérielle sévère ;
- l'existence d'un bloc auriculoventriculaire (BAV) ;
- l'angor spastique ou de Prinzmetal (*i.e.* : angor lié à un spasme des artères coronaires) ;
- l'asthme ou la BPCO en cours de traitement ;
- l'insuffisance cardiaque non contrôlée ;
- la maladie de Raynaud (*i.e.* : vasoconstriction des artères extrémités des doigts).

Pratique IDE et conseils au patient

- L'IDE doit discuter avec le patient traité par β-bloquant pour voir s'il connaît les valeurs cibles de sa tension artérielle et de sa fréquence cardiaque.
- L'IDE doit expliquer au patient qu'une hypotension artérielle peut se traduire par des vertiges, des céphalées, une sensation de « malaise ».
- L'IDE ne doit pas hésiter à demander s'il n'y a pas d'effets indésirables qui ont conduit le patient à réduire les posologies prescrites ou à interrompre le traitement. En effet, d'éventuels troubles sexuels ou autres effets indésirables peuvent conduire le patient à être inobservant.
- L'IDE doit rappeler au patient qu'il ne faut pas arrêter brutalement le traitement car cela risquerait de provoquer un « effet rebond », c'est-à-dire une hypersensibilité des récepteurs β avec un possible risque d'infarctus du myocarde ou de trouble du rythme cardiaque.
- L'IDE doit être particulièrement vigilant lors de la prescription d'un β-bloquant chez un patient diabétique. En effet, ce traitement peut provoquer des hypoglycémies et en masquer les symptômes. Il faut donc rappeler au patient l'importance du contrôle glycémique.
- L'IDE peut rassurer une femme enceinte traitée par β-bloquant car cette classe thérapeutique n'est pas contre-indiquée pendant la grossesse.

14. Chimiothérapie anticancéreuse

Objectifs et stratégies

L'objectif d'une chimiothérapie anticancéreuse est soit **curatif** ou soit **palliatif**. La chimiothérapie complète une prise en charge radio-thérapeutique ou chirurgicale (traitement néo-adjuvant ou adjuvant). Par un ciblage précis (sélectivité), la stratégie vise à **inhiber la prolifération cellulaire des cellules cancéreuses**. Parfois, il est nécessaire d'effectuer des **associations de médicaments** affectant des cibles cellulaires différentes pour obtenir de meilleurs résultats. La toxicité et les effets indésirables lourds nécessitent la prise en charge des effets iatrogènes.

Un **protocole de chimiothérapie** doit répondre à plusieurs critères :
- sélectivité vis-à-vis des cellules cibles afin de diminuer les effets secondaires ;
- synergie d'action ou potentialisation afin de limiter la résistance des cellules tumorales ;
- thérapeutique symptomatique pour lutter contre les effets secondaires des anticancéreux (émétisants, antidouleurs, antipyrétiques, antihistaminiques, corticoïdes, facteurs de croissance hématopoïétique) ;
- cures répétitives et espacées.

Les doses sont très souvent exprimées en fonction de la surface corporelle (m^2) ou en fonction du poids (kg) selon les principes actifs.

Classification des anticancéreux

Les anticancéreux sont classés selon leurs propriétés et leur site d'action. On distingue les agents cytotoxiques et les agents modulateurs. Sont distinguées par ailleurs les thérapies ciblées et l'immunothérapie.
- Agents cytotoxiques :
  - alcaloïdes anticancéreux ;
  - antibiotiques cytotoxiques ;
  - agents alkylants ;
  - agents scindants ;
  - antimétabolites ;
  - agents inhibiteurs des topo-isomérases ;
  - agents antiprotéiques.

- Agents modulateurs :
  - agents hormonaux ;
  - agents inhibiteurs des kinases ;
  - anticorps monoclonaux ;
  - immunomodulateurs ;
  - immunosuppresseurs.

Effets indésirables des chimiothérapies

La chimiothérapie anticancéreuse induit un grand nombre d'effets secondaires. Les plus fréquentes toutes spécialités confondues sont :

- toxicité cutanéomuqueuse : alopécie, hypersensibilité. La croissance rapide et fréquente des cheveux fait de ses cellules une cible potentielle. L'hypersensibilité peut être prévenue par une prophylaxie avec antihistaminiques ;
- toxicité digestive : nausées, vomissements, diarrhées. Selon le cas, il est nécessaire d'associer des antiémétiques puissants (classe pharmacologique des sétrons ; ex. : ondansétron) ;
- toxicité hématologique : anémie, leucopénie, neutropénie, thrombopénie. Un bilan de la NFS doit être régulièrement instauré au cours du traitement. La conséquence est une asthénie et un risque infectieux important ;
- toxicité hépatique : la surveillance des transaminases doit être systématique ;
- toxicité néphrotique : certains médicaments sont néphrotoxiques. Une surveillance accrue de la fonction rénale est primordiale.

Il existe toutefois d'autres toxicités spécifiques aux anticancéreux. Par exemple, certains anticorps monoclonaux peuvent être responsables de toxicité cardiaque (ex. : bévacizumab).

Tous ces médicaments sont contre-indiqués en cas de grossesse et d'allaitement.

Agents cytotoxiques

Alcaloïdes anticancéreux – Poisons du fuseau mitotique

Parmi les alcaloïdes anticancéreux, il y a les alcaloïdes de la pervenche (ou vinca-alcaloïdes) et les alcaloïdes de l'if (ou taxanes). Ces substances naturelles **bloquent l'activité mitotique des cellules**.

- **Mécanisme d'action : inhibiteurs des mitoses** par liaison aux microtubules des fuseaux. La conséquence est un arrêt du cycle cellulaire par blocage des microtubules (alcaloïdes de la pervenche) et par blocage de la dépolymérisation des microtubules (alcaloïdes de l'if).

- **Interactions majeures** : vaccins atténués. Vaccin antimalarique contre-indiqué.
- **Contre-indications** : neutropénie, insuffisance hépatique sévère et grossesse et allaitement. Neuropathie périphérique sévère (alcaloïdes de pervenche).
- **Toxicités majeures** : toxicité neurologique (paresthésies, troubles sensoriels) et hématologique (aplasie médullaire, thrombopénie). Toxicité cardiaque possible pour les taxanes.
- **À surveiller** : troubles gastro-intestinaux (nausées, diarrhées). Alopécie. Risque de choc anaphylactique pour les taxanes nécessitant une administration sous contrôle médical.
- **Spécialités :**

Tableau 23. **Tableau récapitulatif des alcaloïdes anticancéreux.**

Agents	DCI *Princeps*		Forme	Dose	Types de cancer
Alcaloïdes de pervenche	**Vinblastine** *Velbé*		Inj. (IV)	5–18 mg/m²	– LH ou LNH – Cancer du sein – Cancer de l'ovaire – Cancer du rein, vessie et testicule – Sarcome de Kaposi – Choriocarcinome
	Vincristine *Oncovin*		Inj. (IV)	1,4 mg/m²	– LAL – LH et LNH – Myélome multiple – Sarcomes – Cancer du sein et du col utérin – Cancer du sein à petites cellules – Cancers de l'enfant
	Vindésine *Eldisine*		Inj. (IV)	3 mg/m²	– LAL – Cancer de l'œsophage – Cancer du poumon – Cancer du sein
	Vinorelbine *Navelbine*		Inj. (IV) Capsules	25–30 mg/m² 60–80 mg/m² *(per os)*	– Cancer du poumon non à petites cellules – Cancer du sein métastasique

(*Suite*)

Tableau 23. **Suite.**

Agents	DCI *Princeps*	Forme	Dose	Types de cancer
Taxanes	**Cabazitaxel** *Jevtana*	Inj. (IV)	25 mg/m²	Cancer de la prostate
	Docétaxel *Taxotere*	Inj. (IV)	75–100 mg/m²	— Cancer bronchique non à petites cellules — Cancer gastrique — Cancer de la prostate — Cancer du sein — Cancer des voies aéro-digestives supérieures
	Paclitaxel *Taxol* *Paxene* *Abraxane*	Inj. (IV)	100–260mg/m²	— Cancer bronchique non à petites cellules — Cancer de l'ovaire — Sarcome de Kaposi

Agents alkylants

Les principaux groupes d'agents alkylants sont les moutardes à l'azote, les organoplatines, et les nitrosourées. Ils ont la **capacité d'interagir avec les bases de l'ADN** en empêchant l'ouverture des brins lors de la réplication du matériel génétique.

- **Mécanisme d'action :** alkylation (greffage d'un groupement organique) sur une ou plusieurs bases de l'ADN. La conséquence est une réplication freinée des brins d'ADN de la cellule cancéreuse.
- **Interactions majeures :** vaccin antimalarique contre-indiqué. Autres vaccins déconseillés. Phénytoïne.
- **Contre-indications :** grossesse et allaitement ; insuffisance rénale sévère (ifosfamide, cyclophosphamide, streptozotocine, organoplatines). Insuffisance médullaire (organoplatines, cyclophosphamide).
- **Toxicité :** gamétotoxicité (stérilité masculine), hématotoxicité, néphrotoxicité.
- **À surveiller :** bilan hématologique à effectuer après chaque cure. Risque de cystite hémorragique (cyclophosphamide, ifosfamide). Bilan sanguin et créatininémie à surveiller. Nausées et vomissements très fréquents nécessitant la prise d'antiémétisants.
- **Spécialités :**

Tableau 24. Tableau récapitulatif des anticancéreux alkylants.

Agents	DCI *Princeps*	Forme	Dose	Types de cancer
Moutarde à l'azote	**Chlorambucil** *Chloraminophène*	Orale (gél.)	6–10 mg/m²	– LLC – LNH
	Chlorméthine *Caryolysine*	Inj. (IV)	6 mg/m²	– Lymphome de Hodgkin – Lymphome cutané (application locale)
	Cyclophosphamide *Endoxan*	Orale (cp) Inj. (IV)	300–800 mg/m²	– LH ou LNH – Cancer des bronches – Cancer de l'ovaire – Cancer du sein – Cancer des testicules – Sarcomes
	Estramustine *Estracyt*	Oral (gél.)	560–840 mg	– Cancer de la prostate
	Ifosfamide *Holoxan*	Inj. (IV)	1 000–1 500 mg/m²	– Cancer bronchique – Cancer du col de l'utérus – Cancer de l'ovaire – Cancer du sein – Carcinome des testicules – LAL en rechute – LNH
	Melphalan *Alkeran*	Inj Orale (cp)	100–240 mg/m² 0,15–0,3 mg/kg	– Adénocarcinome ovarien – Carcinome du sein – Myélome multiple
Nitrosourées	**Carmustine** *BiCNU*	Inj. (IV)	150 mg/m²	– LH ou LNH – Mélanomes – Tumeurs cérébrales
	Fotémustine *Muphoran*	Inj. (IV)	100 mg/m²	– Mélanomes – Tumeurs cérébrales
	Lomustine *Bélustine*	Orale (gél.)	75–130 mg/m²	– Cancer broncho-pulmonaire – LH ou LNH – Mélanomes – Myélome multiple – Tumeur cérébrale
	Streptozotocine *Zanosar*	Inj. (IV)	500–1 500 mg/m²	– Adénocarcinomes – Carcinomes

(Suite)

Tableau 24. **Suite.**

Agents	DCI *Princeps*	Forme	Dose	Types de cancer
Organo-platines	**Carboplatine** *Carboplatine*	Inj. (IV)	400 mg/m²	— Cancer épidermoïdes des voies aéro-digestive supérieures — Cancer de l'ovaire — Cancer du poumon — LH ou LNH
	Cisplatine *Cisplatyl*	Inj. (IV)	15–100 mg/m²	— Cancers variés (anus, testicule, ovaire, utérus, bronche, etc.) — LH ou LNH
	Oxaliplatine *Eloxatine*	Inj. (IV)	85 mg/m²	— Cancer colorectal
Triazènes	**Dacarbazine** *Déticène*	Inj. (IV)	150–375 mg/m²	— Glioblastomes — Mélanomes malins — LH ou LNH — Sarcomes
	Procarbazine *Natulan*	Orale (gél.)	100–150 mg/m²	— Cancer broncho-pulmonaire — LH ou LNH
	Témozolomide *Temodal*	Orale (gél.)	200 mg/m²	— Glioblastome — Gliome malin
Autres	**Altrétamine** *Hexastat*	Orale (gél.)	150–250 mg/m²	— Cancer bronchique à petites cellules — Cancer de l'ovaire
	Busulfan *Busilvex* *Myleran*	Inj. (IV) orale (*Myleran*)	0,06 mg/kg/j 0,8 mg/kg (IV) 1 mg/kg (*per os*)	Leucémie myéloïde chronique *greffe de cellules-souches hématopoïétiques*
	Mytomicine C *Amétycine*	Inj. (IV) instillation	10–80 mg/m²	— Adénocarcinomes — Tumeur de la vessie (voie endovésicale)
	Pipobroman *Vercyte*	orale (cp séc.)	0,1–1 mg/kg	— Maladie de Vaquez
	Thiotépa *Thiotépa*	Inj (IV, IM) instillation	8–12 mg/m² 30–40 mg/ instillation	— Cancer de l'ovaire — Cancer du sein — Tumeur de la vessie

Agents intercalants

Certains antibiotiques d'espèces bactériennes ont la **capacité d'inter-agir avec l'ADN cellulaire** : ce sont les **antibiotiques cytotoxiques**. Un composé dérivé des anthraquinones possédant des propriétés *intercalantes* a été synthétisé : le mitoxantrone.

- **Mécanisme d'action** : peu élucidé, le mécanisme d'action suppose une intercalation de la substance entre les bases de l'ADN. La conséquence est une diminution de l'étape de la réplication du matériel génétique.
- **Interactions majeures :** vaccin antimalarique contre-indiqué. Autres vaccins déconseillés. Phénytoïne.
- **Contre-indications :** grossesse et allaitement; insuffisance cardiaque (doxorubicine principalement); insuffisance rénale ou hépatique.
- **Toxicité :** cardiotoxicité, hématotoxicité, hépatotoxicité.
- **À surveiller :** surveillance cardiologique et hématologique à effectuer. Fonction rénale à surveiller. Nausées et vomissements très fréquents nécessitant la prise d'antiémétisants.
- **Spécialités :**

Tableau 25. **Tableau récapitulatif des anticancéreux intercalants.**

Agents	DCI *Princeps*	Forme	Dose (/SC)	Types de cancer
Anthracyclines	**Actinomycine D** *Cosmegen*	Inj. (IV)	300–500 µg/m²	— Néphroblastome — Rhabdomyosarcome — Tumeur trophoblastique
	Daunorubicine *Cerubidine* *DaunoXome* (liposomal)	Inj. (IV)	40–60 mg/m²	— leucémies aiguës — LMC — LH et NLH
	Doxorubicine *Adriblastine* *Caelyx* (liposomal) *Myocet* (liposomal)	Inj. (IV)	40–75 mg/m² 20–75 mg/m² (forme liposomale)	— Cancer de l'estomac — Cancer du poumon — Cancer de l'ovaire — Cancer de la vessie — Leucémies — LH ou NLH — Myélome multiple — Sarcome des os et tissus mous

(Suite)

Semestre 3

Tableau 25. Suite.

Agents	DCI Princeps	Forme	Dose (/SC)	Types de cancer
	Épirubicine *Farmorubicine*	Inj. (IV)	40–100 mg/m²	– Cancer de l'estomac – Cancer de l'œsophage – Cancer du foie – Cancer ORL – Cancer de l'ovaire – Cancer du poumon – Cancer du pancréas – Cancer du sein – LNH – Maladie de Hodgkin – Sarcome des tissus mous
	Idarubicine *Zavedos*	Inj. (IV)	12 mg/m²	– LAM
		orale (gél.)	15–30 mg/m²	
Anthraquinones	**Mitoxantrone** *Novantrone*	Inj. (IV)	10–14 mg/m²	– LAM – LH ou LNH – Cancer de la prostate – Cancer du sein
	Pixantrone *Pixuvri*	Inj. (IV)	50 mg/m²	LNH

Agents scindants

La bléomycine, antibiotique cytotoxique, est capable de dégrader l'ADN.

- **Mécanisme d'action :** fragmentation d'un des brins d'ADN par formation de radicaux libres.
- **Interactions majeures :** vaccin antimalarique contre-indiqué. Autres vaccins déconseillés. Phénytoïne.
- **Contre-indications :** grossesse et allaitement ; Insuffisance respiratoire sévère.
- **Toxicité :** toxicité pulmonaire.
- **À surveiller :** fonction pulmonaire à surveiller. Risque de dyspnée d'effort et de toux sèche. Risque de fièvre et de frissons après injection.
- **Spécialités :**
  - bléomycine, forme : injection (IV ou IM) ;
  - dose : 10–20 mg/m² sc ;
  - type de cancer : carcinome épidermoïdes, testiculaires (LH ou LNH).

Antimétabolites

Les agents antimétabolites agissent au niveau de la synthèse de l'ADN. Ils regroupent les **antagonistes de l'acide folique**, les **analogues des bases puriques (antipurines) ou pyrimidiques (antipyrimidines)** et le dérivé de l'urée (hydroxyurée).

Antagonistes de l'acide folique

- **Mécanisme d'action** : inhibition de l'enzyme métabolique de l'acide folique (dihydrofolate réductase) essentiel à la synthèse *de novo* des purines et pyrimidines.
- **Interactions majeures** : vaccin antimalarique contre-indiqué. Autres vaccins déconseillés.
- **Contre-indications** : grossesse et allaitement ; insuffisance hépatique et rénale sévère.
- **Toxicité** : toxicité hématologique, hépatique et rénale.
- **À surveiller** : fonction rénale à surveiller (augmentation de la créatininémie), contrôle du bilan sanguin à effectuer (anémie, thrombopénie, neutropénie) nécessitant un apport en vitamine B12, et en acide folique. Risque de réaction cutanée nécessitant corticothérapie en amont de la cure.
- **Spécialités** :

Tableau 26. **Tableau récapitulatif des antimétabolites (I).**

Agents	DCI *Princeps*	Forme	Dose	Types de cancer
Antagonistes de l'acide folique	**Pémétrexed** *Alimta*	Inj. (IV)	500 mg/m² sc	– Cancer bronchique – Mésothéliome pleural
	Raltitrexed *Tomudex*	Inj. (IV)	3 mg/m² sc	– Cancer colorectal
	Méthotrexate *Méthotrexate Lédertrexate*	Inj (IM ou IV) Orale (cp séc.)	15–50 mg/m²	– Adénocarcinomes mammaires et ovariens – Carcinome des bronches à petites cellules – Carcinomes vésicaux – Carcinome des voies aérodigestives supérieures – Choriocarcinome – LAL – LNH – Sarcome ostéogénique

Antipurines

- **Mécanisme d'action** : analogues de synthèse bloquant les enzymes de conversion et d'insertion des bases dans l'ADN. La conséquence est une inhibition de la synthèse d'ADN par incorporation d'un faux nucléotide.
- **Interactions majeures :** vaccin antimalarique contre-indiqué. Autres vaccins déconseillés. Phénytoïne.
- **Contre-indications** : grossesse et allaitement. Insuffisance rénale (pentostatine, cladribine, fludarabine).
- **Toxicité** : toxicité hématologique, hépatique et rénale
- **À surveiller :** fonction hépatique et bilan hématologique à effectuer. Risque de photosensibilisation (thioguanine). Infections fréquentes, troubles neurologiques (anxiété, insomnie, confusion mentale), troubles cardiologiques avec pentostatine.
- **Spécialités :**

Tableau 27. **Tableau récapitulatif des antimétabolites (II).**

Agents	DCI *Princeps*	Forme	Dose	Types de cancer
Antipurines	**Cladribine** *Leustatine* *Litak*	Inj. (IV, SC)	0,1 mg/kg 0,14 mg/kg	− LLC − Leucémie à tricholeucocytes − Mastocytose
	Clofarabine *Evoltra*	Inj (IV)	52 mg/m² sc	− LAL
	Fludarabine *Fludara*	Inj. (IV) Orale (cp)	25 mg/m² sc 40 mg/m² sc	− LLC à cellules B
	Nélarabine *Atriance*	Inj. (IV)	1 500 mg/m² sc	− LAL
	Pentostatine *Nipent*	Inj. (IV)	4 mg/m² sc	− Leucémie à tricholeucocytes
	6-mercaptopurine *Purinéthol* Xaluprine	Orale (cp séc.) Suspension buvable	1–5 mg/kg 25–75 mg/m²	− LAL − LNH (pas pour *Xaluprine*)
	6-thioguanine *Lanvis*	Orale (cp)	60–200 mg/m² sc	− LAM

Antipyrimidines

- **Mécanisme d'action :** analogues des bases pyrimidiques bloquant la synthèse de l'ADN.

- **Interactions majeures :** vaccin antimalarique contre-indiqué. Autres vaccins déconseillés. Phénytoïne.
- **Contre-indications :** grossesse et allaitement ; insuffisance rénale ou hépatique. Hypoplasie médullaire (5-FU, tégafur), leucopénie, thrombopénie, neutropénie existante (capécitabine), aplasie médullaire (cytarabine), tumeur hépatique maligne (azacytidine).
- **Toxicité :** toxicité hématologique, toxicité hépatique.
- **À surveiller :** fonction hépatique. Contrôle de l'hémogramme. Risque de fièvre et d'asthénie, vertiges, troubles cardiaques, troubles dermatologiques (hyperpigmentation, prurit) en particulier avec capécitabine (arrêt du traitement si sévérité avérée). Risque de photosensibilisation (pas d'exposition au soleil).
- **Spécialités :**

Tableau 28. **Tableau récapitulatif des antimétabolites (III).**

Agents	DCI *Princeps*	Forme	Dose (/sc)	Types de cancer
Anti-pyrimidines	**Azacytidine** *Vidaza*	Inj. (IV, SC)	75 mg/m^2	– LAM – LMMC – SMD
	Capécitabine *Xeloda*	Orale (cp)	2 500 mg/m^2	– Cancer colorectal – Cancer gastrique – Cancer du sein
	Cytarabine *Aracytine* *DepoCyte*	Inj. (IV) Fl. (intrathécal)	100–200 mg/m^2 50 mg	– LAL – LAM – LNH – Lymphome du manteau
	Décitabine *Dacogen*	Inj. (IV)	g/m^2	– LAM
	Gemcitabine *Gemzar*	Inj. (IV)	1 000–1 250 mg/m^2	– Adénocarcinome du pancréas – Cancer de l'ovaire – Cancer du sein – Cancer de la vessie
	5-fluoro-uracile *Fluorouracile*	Inj. (IV)	300–600 mg/m^2	– Adénocarcinome digestif, ovaire, sein – Cancer colorectal

Hydroxyurée

- **Mécanisme d'action** : mécanisme mal connu. Inhibiteur de la synthèse de l'ADN.
- **Interactions majeures** : vaccin antimalarique contre-indiqué. Autres vaccins déconseillés.
- **Contre-indications** : grossesse et allaitement.
- **Toxicité** : toxicité hématologique.
- **À surveiller** : bilan hématologique à effectuer.
- **Spécialités** :
  – hydroxyurée : *Hydrea*, *Siklos*;
  – forme : orale (capsule);
  – dose : 15–50 mg/kg, *Siklos* (15–30 mg/kg);
  – type de cancer : leucémie myéloïde.

Agents inhibiteurs des topo-isomérases

Certains cytotoxiques sont capables d'inhiber des enzymes fondamentales à l'ouverture et à la synthèse des brins d'ADN : les topo-isomérases. Ces agents sont soit des alcaloïdes de la podophylle (étoposide), soit des alcaloïdes du *Camptotheca* (irinotécan, topotécan)

- **Mécanisme d'action** : inhibiteurs des topo-isomérase I (Irinotécan, topotécan) ou II (étoposide). La conséquence est une impossibilité d'ouverture des brins d'ADN nécessaire à la réplication.
- **Interactions majeures** : vaccin antimalarique contre-indiqué. Autres vaccins déconseillés. Millepertuis (irinotécan). Phénytoïne (étoposide).
- **Contre-indications** : grossesse et allaitement; Insuffisance médullaire sévère (irinotécan)
- **Toxicité** : toxicité hématologique; carcinogénicité (étoposide).
- **À surveiller** : contrôle de l'hémogramme (risque de neutropénie). Troubles digestifs important (nausées, vomissement, diarrhées importantes nécessitant réhydratation). Risque de réaction anaphylactique nécessitant une injection sous surveillance étroite (étoposide).
- **Spécialités** :

Tableau 29. Tableau récapitulatif des inhibiteurs des topo-isomérases.

Agents	DCI *Princeps*	Forme	Dose (/sc)	Types de cancer
Inhibiteurs des topo-isomérases I	**Irinotécan** *Campto*	Inj. (IV)	350 mg/m²	— Cancer colorectal
	Topotécan *Hycamptin*	Inj. (IV) Orale (gélule)	1,5 mg/m² 2,3 mg/m² (*per os*)	— Cancer du poumon (*per os*) — Carcinome du col de l'utérus — Carcinome de l'ovaire
Inhibiteurs des topo-isomérases II	**Étoposide** *Celltop* *Etophos*	Inj. (IV) Orale (capsule)	50–150 mg/m² 100–300 mg/m² (*per os*)	— Cancer du poumon — Cancer du sein — Choriocarcinome placentaire — Neuroblastome — Leucémies — LH ou LNH

Agents antiprotéiques

L'action de ces agents est ciblée sur les protéines. D'une part, une carence en un acide aminé qui bloque les synthèses protéiques de certaines cellules (L-asparaginase), d'autre part, l'inactivation du protéasome qui empêche la dégradation de protéines intracellulaires (bortézomib).

- **Mécanisme d'action :** enzyme de dégradation la L-asparaginase entraînant une carence en L-asparagine. La conséquence est un ralentissement de l'activité des cellules leucémiques. Inhibition du protéasome, organite ubiquitaire fonctionnel de dégradation de protéines intracellulaires par le bortézomib. La conséquence est un arrêt du cycle cellulaire.
- **Interactions majeures :** vaccin antimalarique contre-indiqué. Autres vaccins déconseillés.
- **Contre-indications :** insuffisance hépatique sévère (bortézomib et L-asparaginase). Pancréatite, grossesse et allaitement (L-asparaginase).
- **Toxicité :** toxicité hématologique, toxicité hépatique.
- **À surveiller :**
  - bortézomib : bilan hématologique à effectuer (anémie, thrombocytopénie, neutropénie), asthénie très importante, risque de neuropathie ;
  - L-asparaginase : risque de thrombose veineuse profonde (TVP), surveiller l'apparition de réactions allergiques (fièvre, frissons, érythèmes).
- **Spécialités :**

Tableau 30. Tableau récapitulatif des antiprotéiques (I).

Agents	DCI *Princeps*	Forme	Dose	Types de cancer
Inhibiteur de l'asparagine	**L-asparaginase** *Kidrolase* (IM, IV)	Inj.	7 500–10 000 UI/m²	– LAL – LNH
Inhibiteur du protéasome	**Bortézomib** *Velcade*	Inj.	1,3 mg/m²	– Myélome multiple

Autres agents inhibiteurs

Inhibiteurs de l'histone désacétylase (HDAC) et Inhibiteurs des enzymes PARP.

Les inhibiteurs de l'histone désacétylase (HDAC) ont une activité apoptotique par blocage de la désacétylation des protéines histones nécessaire à la poursuite du cycle cellulaire. Un seul principe actif : panobinostat (*Farydak*). Forme : gélules. Posologie : 20 mg/j.

Les inhibiteurs des enzymes poly(ADP-ribose) polymérase humaine bloquent les mécanismes de réparation des brins d'ADN et provoque une inhibition de la croissance des cellules tumorales. Un seul principe actif : olaparib (*Lymparza*). Forme : gélules. Posologie : 800 mg/j.

- **Interactions majeures :** inducteurs et inhibiteurs du CYTp450 CYP3A4.
- **Contre-indications :** allaitement.
- **Toxicité :** toxicité hématologique.
- **À surveiller :** bilan hématologique à effectuer (anémie, thrombocytopénie, neutropénie), asthénie très importante, risque de neuropathie, infections (panobinostat), troubles du rythme cardiaque, risque de thrombose veineuse profonde (TVP), surveiller l'apparition de réactions allergiques (fièvre, frissons, érythèmes).

Agents modulateurs

Agents hormonaux

Deux catégories d'agents hormonaux sont utilisées en chimiothérapie cancéreuse : les agonistes hormonaux et les antagonistes hormonaux dans les cancers hormonodépendants.

▶ Agonistes hormonaux

Les hormones concernées sont la LH-RH, l'œstrogène, la progestérone, la somatostatine. L'intérêt de ces agents est leur action sur les cancers hormonaux dépendants.

Agonistes de la LH-RH

- **Mécanisme d'action** : agonistes de la LH-RH favorisant l'hypersécrétion hormonale induisant peu après un rétrocontrôle négatif dont la conséquence est une hyposécrétion hormonale.
- **Contre-indications** : grossesse et allaitement ; ostéoporose.
- **Toxicité** : peu de toxicité dans cette catégorie.
- **À surveiller** : phénomènes liés à l'hormonothérapie (bouffées de chaleur, céphalées, myalgies, prise de poids, sécheresse vaginale). Risque de douleur au point d'injection. Pic hormonal dans les premiers jours de traitement induisant douleurs osseuses.

Œstrogéniques : diéthylstilbestrol (DES)

- **Mécanisme d'action** : agonistes des œstrogènes favorisant une activité œstrogénique entraînant une régression du volume tumoral.
- **Interactions majeures** : médicament à forte métabolisation hépatique. Tout inducteur enzymatique diminuera l'efficacité du traitement.
- **Contre-indications** : nombreuses parmi lesquelles les maladies coronariennes, les maladies thromboemboliques, le cancer du sein, l'insuffisance hépatique sévère, l'insuffisance rénale chronique.
- **Toxicité** : carcinogénicité et tératogénicité.
- **À surveiller** : phénomène de gynécomastie, impuissance, atrophie des organes, pilosité diminuée. Risque d'hypertension artérielle et de maladies vasculaires thromboembolique. Autres risques : troubles neurologiques avec céphalées, troubles visuels, vertiges nécessitant arrêt du traitement. Ces risques nécessitent l'arrêt du traitement.

Progestatifs

- **Mécanisme d'action** : dérivés de progestérone ayant de manière indirecte le même mécanisme d'action que les œstrogènes mais actifs sur les cancers du sein et de l'endomètre.
- **Interactions majeures** : médicament à forte métabolisation hépatique. Tout inducteur enzymatique diminuera l'efficacité du traitement.
- **Contre-indications** : grossesse et allaitement, hypertension artérielle sévère, maladies thromboemboliques (phlébites, IDM, AVC), insuffisances hépatiques sévères.
- **Toxicité** : carcinogénicité et tératogénicité.
- **À surveiller** : risque d'hypertension artérielle, prise de poids, céphalée.

Analogues de la somatostatine

- **Mécanisme d'action** : analogues de la somatostatine naturelle, inhibiteur des fonctions endocrine, exocrine et paracrine et freinant la sécrétion de la GH au niveau de l'hypophyse.
- **Interactions majeures** : insulines avec risque d'hypoglycémie si prise simultanée.
- **Contre-indications** : grossesse et allaitement. Lithiase des voies biliaires.
- **Toxicité** : carcinogénicité, et tératogénicité.
- **À surveiller** : contrôle glycémique avec adaptation de doses d'insuline chez le diabétique. Risque de douleur locale à l'injection.
- **Spécialités** :

Tableau 31. Tableau récapitulatif des agents agonistes hormonaux.

Agents	DCI *Princeps*	Forme	Dose	Types de cancer
Agonistes de la LH-RH	**Buséréline** *Bigonist* *Suprefact* inj. *Suprefact* nasal	Impl. SC Inj. (fl.) SC Nasale (fl. dose)	6,3 mg (impl.) 1 500 µg (inj. SC) 300 µg	– Cancer de la prostate – Cancer du sein – Endométriose – Fibromes utérins
	Goséréline *Zoladex*	Impl. SC	3,6 mg 10,8 mg	
	Acétate d'histréline *Vantas*	Impl. SC	50 mg	
	Leuproréline *Enantone* *Eligard*	Inj. SC (fl.)	3,75 mg	
	Nafaréline *Synarel*	Nasale (fl. dose)	400–800 µg	
	Triptoréline *Décapeptyl* *Gonapeptyl* *Salvacyl*	Inj. (fl.) SC ou IM	0,1 mg (SC) 3,75–11,25 mg (IM)	
Œstrogéniques	**Diéthylstilbestrol** *Distilbène*	Orale (cp)	1–3 mg	– Cancer de la prostate
Progestatifs	**Médroxyprogestérone** *Dépo-Prodasone* *Farlutal*	Inj. (fl.) Orale (cp)	500–1 000 mg	– Cancer de l'endomètre – Cancer du sein – Endométriose
	Mégestrol *Mégace*	Orale (cp)	160 mg	

(*Suite*)

Tableau 31. **Suite.**

Agents	DCI *Princeps*	Forme	Dose	Types de cancer
Analogue de la somatostatine	**Lanréotide** *Somatuline LP*	Inj IM, SC (fl.)	30 mg 30–120 mg (SC)	– Carcinomes – Adénome hypophysaire
	Octréotide *Sandostatine* *Sandostatine LP*	Inj. SC Inj. IM*	50–1 500 µg (SC) 10–30 mg (IM)	

▶ Antagonistes hormonaux

Les agents concernés sont des anti-œstrogènes d'une part et des anti-testostérones d'autre part. Les anti-œstrogènes regroupent les antagonistes des récepteurs aux œstrogènes et les inhibiteurs de la synthèse des œstrogènes. Les antitestostérones contiennent les antagonistes directs de la testostérone et les antagonistes de la Gn-RH.

Anti-œstrogènes

Antagonistes des récepteurs aux œstrogènes
- **Mécanisme d'action** : inhibition de l'activité ostrogénique par antagonisme compétitif au niveau du récepteur aux œstrogènes.
- **Interactions majeures** : médicament à forte métabolisation hépatique. Tout inducteur enzymatique diminuera l'efficacité du traitement. Risque de majoration des effets hémorragiques des AVK.
- **Contre-indications** : grossesse et allaitement, hypertension artérielle sévère, maladies thrombo-emboliques (phlébites, IDM, AVC), insuffisances hépatiques sévères. Intolérance au galactose (tamoxifène).
- **Toxicité** : risque de cancer de l'endomètre.
- **À surveiller** : phénomènes hormonaux avec bouffées de chaleurs, saignements vaginaux, leucorrhée. Risque de thrombopénie. Le taux d'œstradiol sanguin doit être surveillé du fait d'un risque délétère sur l'endomètre.

Inhibiteurs de l'aromatase
- **Mécanisme d'action** : inhibition d'un enzyme de synthèse des œstrogènes (aromatase).
- **Interactions majeures** : toute œstrogénothérapie est contre-indiquée.

- **Contre-indications** : pas d'utilisation chez la femme non ménopausée.
- **À surveiller** : phénomènes hormonaux avec bouffées de chaleurs, nausée, douleurs dorsales, sécheresse vaginale. Risque réaction anaphylactique.

Antitestostérones

Antagoniste de la Gn-RH : dégarélix
- **Mécanisme d'action** : fixation compétitive sur les récepteurs de la Gn-RH entraînant une diminution de la libération des hormones FSH et LH. La conséquence est une diminution de la sécrétion de testostérone.
- **Interactions majeures :** médicament allongeant l'intervalle QT.
- **Contre-indications :** pas de contre-indications particulières.
- **Toxicité :** risque de cancer de l'endomètre.
- **À surveiller :** phénomènes hormonaux avec bouffées de chaleurs, prise de poids. Risque de fièvre et frissons et réactions cutanées après administration. Troubles visuels et risque d'anémie.

Anti-androgènes
- **Mécanisme d'action :** inhibition de l'activité des testostérones (ou diminution du taux de testostérone) sur les cellules cancéreuses prostatiques testostérone-dépendantes.
- **Interactions majeures :** risque de majoration des effets hémorragiques des AVK.
- **Contre-indications :** insuffisances hépatiques sévères (nilutamide). Cyprotérone : grossesse et allaitement, maladies thromboemboliques, hépatite et affections hépatiques graves, dépression chronique, tuberculose.
- **Toxicité :** hépatotoxicité.
- **À surveiller :** fonction hépatique à évaluer pendant le traitement (transaminases). Risques de troubles liés à l'hormonothérapie. Troubles de la vision avec le nilutamide. Risque de cyanose nécessitant arrêt du traitement par flutamide. Risque de photosensibilisation (flutamide).
- **Cyprotérone :** bilan hépatique, sanguin et glycémique à effectuer. Surveiller la prise de poids. La survenue de troubles visuels, d'accidents thromboemboliques de céphalées ou d'hépatite motive l'arrêt du traitement.
- **Spécialités :**

Tableau 32. **Tableau récapitulatif des agents antagonistes hormonaux.**

Agents	DCI *Princeps*	Forme	Dose/j	Types de cancer
Antagonistes des récepteurs aux œstrogènes	**Fulvestrant** *Faslodex*	Inj. (seringue préremplie)	250 mg	— Cancer du sein
	Tamoxifène *Nolvadex*	Orale (cp)	20–40 mg	
	Torémifène *Fareston*	Orale (cp)	60 mg	
Inhibiteurs de l'aromatase	**Anastrozole** *Arimidex*	Orale (cp)	1 mg	— Cancer du sein
	Exémestane *Aromasine*		25 mg	
	Létrozole *Femara*		2,5 mg	
Antagoniste de la Gn-RH	**Dégarélix** *Firmagon*	Inj. (fl.) SC	80–240 mg	— Cancer de la prostate
Anti-androgènes	**Abiratérone** *Zytiga*	Orale (cp)	1 000 mg	— Cancer de la prostate
	Bicalutamide *Casodex*	Orale (cp)	50 mg	
	Cyprotérone *Androcur*	Orale (cp séc.)	200–300 mg	
	Enzalutamide *Xtandi*	Orale (caps.)	160 mg	
	Flutamide	Orale (cp)	750 mg	
	Nilutamide *Anandron*	Orale (cp)	150–300 mg	

Agents inhibiteurs des kinases

Il existe deux catégories d'inhibiteurs des kinases ayant une activité anticancéreuse : les inhibiteurs des tyrosines kinases et les inhibiteurs des protéines kinases.

▶ Inhibiteurs des tyrosines kinases

- **Mécanisme d'action** : inhibition de la transduction du signal de récepteurs à tyrosines kinases (récepteurs de croissance EGFR, VEGF, ou PDGF, récepteur ALK, Bcr-ABL, BRAF). La conséquence est l'induction d'une activité antiproliférative des cellules (anti-VEGF, anti-PDGF, ALK) ou l'apoptose des cellules (cellules Bcr-ABL positives, ALK).

- **Interactions majeures :** médicaments substrats du cytochrome p450 (CYP 3A4) donc tout inducteur ou inhibiteur du CYP 3A4 modifiera leur biodisponibilité. Interactions avec les AVK.
- **Contre-indications :** grossesse et allaitement. Thrombocytopénie (imatinib), insuffisance hépatique. Troubles métaboliques (intolérance au lactose ou galactose faisant partie des excipients de certains agents).
- **Toxicité :** risque d'hépatotoxicité et d'hématotoxicité.
- **À surveiller :** troubles sanguins (thrombocytopénie, neutropénie, anémie). Risque de réactions cutanées. Affection hépatique (faire un bilan hépatique). Risque d'asthénies, nausées et vomissements. Risque d'atteinte rénale et pulmonaire nécessitant une surveillance régulière.
- **Spécialités :**

Tableau 33. Tableau récapitulatif des inhibiteurs des tyrosines kinases.

Agents	DCI *Princeps*	Forme	Dose (/j)	Types de cancer
Inhibiteurs des tyrosines kinases	**Afatinib** *Giotrif*	Orale (cp)	40 mg	– Cancer du poumon non à petites cellules
	Axitinib *Inlyta*	Orale (cp)	10–20 mg	– Cancer du rein
	Bosutinib *Bosulif*	Orale (cp)	500 mg	– LMC
	Dabraférib *Tafinlar*	Orale (gél.)	300 mg	– Mélanome
	Dasatinib *Sprycel*	Orale (cp)	100–140 mg	– LAL – LMC
	Erlotinib *Tarceva*	Orale (cp)	100 mg 150 mg	– Cancer du pancréas – Cancer du poumon non à petites cellules
	Géfitinib *Iressa*	Orale (cp)	250 mg	– Cancer du poumon non à petites cellules

(Suite)

Tableau 33. **Suite.**

Agents	DCI *Princeps*	Forme	Dose (/j)	Types de cancer
	Imatinib *Glivec*	Orale (cp)	400–800 mg	— LMC (Bcr-Abl +) — Syndrome myélodysplasique — Tumeur gastro-intestinale
	Lapatinib *Tyverb*	Orale (cp)	1 000–1 500 mg	— Cancer du sein
	Nilotinib *Tasigna*	Orale (gél.)	600–800 mg	— LMC
	Ponatinib *Iclusig*	Orale (cp)	45 mg	— LAL — LMC
	Vémurafénib *Zelboraf*	Orale (cp)	1 920 mg	— Mélanome
Inhibiteurs multikinases	**Céritinib** *Zykadia*	Orale (gél.)	300–750 mg	— Cancer du poumon non à petites cellules
	Crizotinib *Xalkori*	Orale (gél.)	500 mg	— Cancer du poumon non à petites cellules
	Pazopanib *Votrient*	Orale (cp)	800 mg	— Cancer rénal — Sarcome des tissus mous
	Sorafénib *Nexavar*	Orale (cp)	800 mg	— Carcinome rénal — Carcinome hépatocellulaire
	Régorafénib *Stivarga*	Orale (cp)	160 mg	— Cancer colorectal — Tumeur gastro-intestinale
	Ruxolitinib *Jakavi*	Orale (cp)	40 mg	— Splénomégalie et myélofibrose
	Sunitinib *Torisel*	Orale (gél.)	50 mg	— Cancer du rein — Tumeur gastro-intestinale
	Vandétanib *Caprelsa*	Orale (cp)	100–300 mg	— Cancer de la thyroïde

▶ **Inhibiteurs des protéines kinases mTOR et des PI3K**

• **Mécanisme d'action :** l'inhibition de la protéine mTOR sérine/thréonine kinase entraîne une inhibition de la croissance cellulaire.

L'inhibition de la phosphatidylinositol -3-kinase (PI3K) bloque la prolifération cellulaire et induit l'apoptose.

- **Interactions majeures :** médicaments substrats du cytochrome p450 (CYP 3A4) donc tout inducteur ou inhibiteur du CYP 3A4 modifiera leur concentration.
- **Contre-indications :** hypersensibilité croisée entre les substances dérivées de la rapamycine.
- **Toxicité :** risque de pneumopathies – colites sévères (inhibiteurs des PI3K).
- **À surveiller :** réaction d'hypersensibilité importante nécessitant parfois l'arrêt de la perfusion et prise en charge avec antihistaminiques. Troubles sanguins : thrombopénie, neutropénie, anémie. Trouble du métabolisme (hyperglycémie, hyperlipidémie). Réaction cutanée importante.
- **Spécialités :**

Tableau 34. **Tableau récapitulatif des inhibiteurs des mTOR et PI3K.**

Agents	DCI Princeps	Forme	Dose (/j)	Types de cancer
Inhibiteurs des PI3K	**Idélalisib** Zydelig	Orale (cp)	300 mg	– LLC – Lymphome folliculaire
Inhibiteurs des mTOR	**Évérolimus** Afinitor Votubia	Orale (cp)	10 mg	– Cancer du rein
	Temsirolimus Torisel	Inj. (fl.)	25–175 mg	– Carcinome rénal – Lymphome des cellules du manteau

Anticorps monoclonaux

Les anticorps monoclonaux sont issus des biothérapies géniques. Il s'agit d'anticorps spécifiques d'un antigène donné qui déclencheront une **réponse immunitaire** dès fixation à leur cible. Certaines cellules cancéreuses expriment de manière spécifique des protéines d'intérêt à leur surface membranaire : clusters de différenciation (CD), récepteurs membranaires (EGFR, HER) ou encore un facteur de croissance (VEGF). Ces protéines sont des cibles potentielles pour les anticorps monoclonaux. De nouveaux anticorps monoclonaux ont une activité pro-immunitaire et sont dirigés contre les inhibiteurs du checkpoint (anti-CTLA-4, PDL-1, PD-1).

- **Mécanisme d'action :** fixation des anticorps monoclonaux dirigés contre les cibles exprimées à la surface des cellules. La conséquence est un déclenchement d'une réponse immunitaire contre les cellules tumorales.
- **Contre-indications :** grossesse et allaitement. Hypersensibilité aux produits d'injection.
- **Toxicité :** risques d'hématotoxicité et de cardiotoxicité.
- **À surveiller :** réaction cutanée importante (notamment avec panitumumab), et risque d'hypersensibilité liée à l'injection (fièvre, frissons). Risque d'œdèmes de Quincke. Risque d'anémie, thrombopénie ou neutropénie importante (rituximab, alemtuzumab). Troubles cardiovasculaires. Risque d'infection à *Pneumocystis carinii* avec alemtuzumab (prophylaxie nécessaire). Il est important d'associer un traitement analgésique et antihistaminique avec les protocoles incluant les anticorps monoclonaux.

Tableau 35. Tableau récapitulatif des anticorps à visée anticancéreuse.

Agents	DCI *Princeps*	Cible	Forme	Dose (selon les cures)	Types de cancer
	Alemtuzumab *MabCampath*	Lymphocyte CD52+		3–30 mg	— LLC
	Bévacizumab *Avastin*	VEGF		5–15 mg/kg	— Cancer bronchique — Cancer colorectal — Cancer du sein
	Brentuximab vétodine *Adcetris*	Cellules CD 30+		8 mg/kg	— LH
	Catumaxomab *Removab*	Lymphocyte B CD3+ cellule épithéliale EpCAM+	Inj. (fl.) IV	10–150 µg	— Carcinome EpCAM+
	Cétuximab *Erbitux*	Récepteurs EGFR, HER1		250 mg/m² sc 400 mg/m² sc	— Cancer colorectal — Cancer épidermoïde de la tête et du cou
	Ibritumomab *Zevalin*	Lymphocyte B CD52+		11–15 MBq/kg (unité radiothérapie)	— LNH
	Ipilimumab *Yervoy*	Inhibiteurs du CTLA-4		3 mg/kg	— Mélanome

(*Suite*)

Tableau 35. **Suite.**

Agents	DCI *Princeps*	Cible	Forme	Dose (selon les cures)	Types de cancer
	Nivolumab *Opdivo*	PD-1		3 mg/kg	– Mélanome – Cancer bronchique non à petites cellules – Carcinome à cellules rénales – LH
	Obinutuzumab *Gazyvaro*	Lymphocyte B CD20+		1 000 mg	– LLC
	Ofatumumab *Arzerra*	Lymphocyte B CD20+		300–2000 mg	– LLC
	Panitumumab *Vectibix*	Récepteurs EGFR, HER1		6 mg/kg	– Cancer colorectal
	Pembrolizumab *Keytruda*	Inhibiteurs du PD-1		2 mg/kg	– Mélanome
	Pertuzumab *Perjeta*	Récepteur HER2		420–840 mg	– Cancer du sein
	Ramucirumab *Cyramza*	VEGF		8–10 mg/kg	– Cancer bronchique – Cancer colorectal – Cancer gastrique
	Rituximab *MabThera*	Lymphocyte B CD20+		375 mg/m² sc	– LLC – LNH – Lymphome folliculaire
	Trastuzumab *Herceptin*	Récepteur HER2		2-4 mg/kg	– Adénocarcinome – Cancer du sein
	Trastuzumab-emtansine *Kadcyla*	Récepteur HER2		3,6 mg/kg	– Cancer du sein

Immunomodulateurs (IMiDS)

Nouvelle classe de médicaments ayant des propriétés **immunomodulatrices, antiangiogénique, antinéoplasique**. L'action anti-TNF α (facteur de nécrose tissulaire) et anti-IL6 (cytokine pro inflammatoire). Ils sont au nombre de trois : la thalidomide, le lénalidomide et pomalidomide.

- **Mécanisme d'action :** action anti-TNF α (facteur de nécrose tissulaire) et anti-IL 6 (cytokine pro-inflammatoire) et potentialisation de la réponse immunitaire (cellules NK, lymphocytes B et T).

- **Interactions majeures** : médicaments sédatifs ou bradycardisants (thalidomide).
- **Contre-indications : grossesse et allaitement.** Contraception obligatoire (homme ou femme). Insuffisance rénale sévère.
- **Toxicité** : tératogénicité.
- **À surveiller** : risque de crampes musculaires, de sédation, et de neuropathies périphériques. Troubles thromboemboliques (TVP, embolie pulmonaire). Suivi du bilan sanguin… **Tératogènes majeurs** : contraception obligatoire (homme et femme). Médicaments soumis à un plan de gestion de risque (carnet, fiche d'information, accord de soins) nécessitant un suivi régulier et rigoureux.
- **Spécialités :**

Tableau 36. **Tableau récapitulatif des IMiDS.**

Agents	DCI *Princeps*	Forme	Dose (/j)	Types de cancer
IMiDS	**Lénalidomide** *Revlimid*	Orale (cp)	10–25 mg	– Myélome multiple
	Pomalidomide *Imnovid*	Orale (gélule)	4 mg	
Inhibiteur du protéasome	**Thalidomide** *Thalidomide*	Orale (gélule)	25–200 mg	

Autres

▶ **Inhibiteurs du VEGF : aflibercept (*Zaltrap*)**

- **Mécanisme d'action** : liaison compétitive sur le récepteur VEGF. Ralentissement de la vascularisation.
- **Contre-indications** : grossesse.
- **À surveiller** : anorexie, risque important d'hémorragies gastro-intestinales, risque d'augmentation de la tension artérielle.

15. Anti-inflammatoires non stéroïdiens et stéroïdiens

Rappel sur l'inflammation

L'inflammation est un processus qui permet la protection et/ou réparation d'un tissu agressé.

Les 4 principaux signes de l'inflammation sont :

- vasodilatation et rougeur ;
- sensation de chaleur ;
- sensation de douleur ;
- œdème.

La production par notre organisme de certaines prostaglandines permet le processus inflammatoire.

Anti-inflammatoires non stéroïdiens (AINS)

Propriétés pharmacologiques des AINS

Les AINS ont 3 actions pharmacologiques :

- **anti-inflammatoire** : traitement de l'inflammation ;
- **antalgique** : traitement de la douleur ;
- **antipyrétique** : traitement de la fièvre.

Mécanisme d'action des AINS

Les AINS agissent en bloquant l'action des cyclo-oxygénases 1 et 2, appelées aussi cox 1 et cox 2.

Ces enzymes cox 1 et cox 2 ont pour rôle de transformer l'acide arachidonique présent au niveau de chaque cellule de l'organisme en prostaglandines.

Les prostaglandines obtenues après action de la cox 1 ont des actions protectrices sur l'organisme en permettant entre autres la protection de la muqueuse gastrique.

Les prostaglandines obtenues après action de la cox 2 sont des prostaglandines impliquées dans l'inflammation.

Par conséquent, les actions pharmacologiques des AINS sont dues au blocage de la cox 2. Et une partie des effets indésirables des AINS, dont les troubles digestifs, s'explique par le blocage de la cox 1.

Les effets indésirables sont moins importants pour les AINS appartenant au groupe des coxibs car ils inhibent surtout la cox 2. Il s'agit de trois médicaments : *Celebrex* gélule à 100 et 200 mg (célécoxib), *Dynastat* injectable à 40 mg (parécoxib) et *Arcoxia* comprimé à 30 et 60 mg (étoricoxib).

Indications des AINS

Les AINS forment une classe thérapeutique hétérogène car ils n'ont pas tous les mêmes indications thérapeutiques.

Parmi les indications thérapeutiques existant dans la famille des AINS, citons :

- en **rhumatologie/traumatologie** : le traitement symptomatique des rhumatismes inflammatoires chroniques, de la spondylarthrite ankylosante, de la polyarthrite rhumatoïde, de lombalgies, etc.;
- en **ORL/stomatologie** : le traitement symptomatique de la douleur au cours des manifestations inflammatoires ORL et stomatologiques;
- en **gynécologie** : le traitement des menstruations douloureuses;
- **autres** : le traitement des douleurs aiguës postopératoires, des coliques néphrétiques, etc.

La prescription des AINS est de courte durée, c'est-à-dire moins de 7 jours, sauf en rhumatologie où ils sont parfois utilisés pour le traitement de maladie inflammatoire chronique.

Cette variabilité des indications thérapeutiques s'explique par leur différence de rapport bénéfice/risque. Cette différence explique aussi que certains AINS sont inscrits sur la liste I ou la liste II des substances vénéneuses et que d'autres ne sont inscrits sur aucune de ces deux listes car exonérés des substances vénéneuses.

- **AINS inscrits sur la liste I** : il s'agit des AINS dont les risques sont les plus importants, souvent avec une demi-vie longue, et dont les indications sont les plus limitées. Il s'agit de deux groupes d'AINS : les «indolés» (avec l'indométacine) et les «oxicams» (avec le piroxicam). Le tableau 37 présente les principaux représentants de ces deux groupes.

Tableau 37. AINS inscrits sur la liste I.

Dénomination commune internationale	Nom de spécialité	Présentation	Posologie/j	Indications de l'AMM

Indométacine	*Indocid*	Gél. 25 et 75 mg
		Supp. 100 mg
			50 à 150 mg (dose d'attaque le 1er jour de 200 mg/j)	Traitement symptomatique de courte durée des poussées aiguës de :
				– rhumatismes non articulaires (épaule douloureuse, tendinite, etc.)
				– arthrites microcristallines
				– radiculalgies sévères
				– arthroses
				– Traitement symptomatique au long cours :
				  - des rhumatismes inflammatoires chroniques dont la polyarthrite rhumatoïde, la spondylarthrite ankylosante
				  - de certaines arthroses invalidantes/douloureuses

Piroxicam	*Feldène*	Gél. 10 et 20 mg Cp séc. 20 mg Supp. 20 mg Amp. inj. pour IM 20 mg	10 à 20 mg (dose d'attaque le 1er jour : 30 à 40 mg/j)	Traitement symptomatique de courte durée de l'arthrose, la polyarthrite rhumatoïde ou de la spondylarthrite ankylosante En raison de son profil de toxicité, le piroxicam ne doit pas être utilisé en traitement de première intention lorsqu'un traitement par AINS est indiqué

- **AINS inscrits sur la liste II** : il s'agit des AINS dont les risques sont acceptables lorsqu'on a besoin d'un anti-inflammatoire. Il s'agit de deux groupes d'AINS : les «arylcarboxyliques» (ibuprofène, kéto-profène, diclofénac, etc.) et les «fénamates ou autres AINS» (acide niflumique, etc.). Le tableau 38 en indique les principaux représentants.

Tableau 38. AINS inscrits sur la liste II.

Dénomination commune internationale	Nom de spécialité	Présentation	Posologie/j	Indications de l'AMM
Diclofénac (groupe arylcarboxylique)	Voltarène	Cp 25 et 50 mg Cp à libération prolongée 75 et 100 mg Supp. 100 mg	75 à 100 mg	**Par voie orale ou voie rectale** (adulte et enfant de plus de 15 ans) : — traitement symptomatique au long cours : - des rhumatismes inflammatoires chroniques, dont la polyarthrite rhumatoïde, la spondylarthrite ankylosante - de certaines arthroses douloureuses et invalidantes — traitement symptomatique de courte durée des poussées aiguës : - de rhumatismes non articulaires (épaules douloureuses aiguës, tendinites, bursites) - d'arthrites microcristallines - d'arthroses - de lombalgies, radiculalgies sévères
Ibuprofène (groupe arylcarboxylique)	Advil	Cp 400 mg	1 200 à 1 600 mg/j (dose d'attaque le 1er jour de 2 400 mg)	Les mêmes que celles du diclofénac

(*Suite*)

Tableau 38. **Suite.**

Acide niflumique (groupe des fénamates)	Nifluril	Gél. 250 mg Supp. enfant à 400 mg Supp. adulte et enfant de plus de 12 ans à 700 mg	750 à 1 500 mg/j	**Suppositoire enfant à 400 mg :**
				— traitement symptomatique au long cours de la polyarthrite rhumatoïde juvénile
				— traitement symptomatique de la douleur au cours des manifestations inflammatoires dans les domaines ORL et stomatologiques
				Il s'agit d'une thérapeutique d'appoint d'affections non rhumatologiques
				Suppositoire adulte et enfant de plus de 12 ans à 700 mg et gélule à 250 mg :
				— traitement symptomatique au long cours :
				  - des rhumatismes inflammatoires chroniques, dont la polyarthrite rhumatoïde
				  - de certaines arthroses douloureuses et invalidantes
				— traitement symptomatique de courte durée des poussées aiguës :
				  - d'arthroses
				  - des rhumatismes abarticulaires tels que tendinites, bursites, etc.
				— *traitement symptomatique de la douleur au cours des manifestations inflammatoires dans les domaines ORL et stomatologiques*

- **AINS inscrit sur aucune liste (hors liste)** : il s'agit de certaines spécialités pharmaceutiques qui contiennent des AINS à de faibles doses. Ces spécialités semblent présenter un risque suffisamment limité et contrôlable pour pouvoir être utilisées sans prescription médicale : c'est donc de l'automédication. Les doses d'AINS de ces spécialités correspondent à des doses antalgiques, c'est-à-dire inférieures aux doses anti-inflammatoires. C'est le cas des salicylés, de l'ibuprofène, du kétoprofène :
  - **l'aspirine et les salicylés** : à la dose journalière de 2 000 mg, l'aspirine a des effets antalgique et antipyrétique. À la posologie de 3 000 à 6 000 mg/j, l'aspirine devient anti-inflammatoire. Les spécialités sont *Aspirine UPSA* comprimé à 1 000 mg, *Aspégic* 1 000 mg en sachet, etc.;
  - **l'ibuprofène** : à une dose journalière inférieure à 1 200 mg, l'ibuprofène a des effets antalgiques et antipyrétiques. Au-delà de 1 200 mg/j l'effet anti-inflammatoire s'ajoute. Les spécialités contenant de l'ibuprofène à visée antalgique et antipyrétique sont dosées à 200 mg (*Advil* comprimé 200 mg) alors que celles à visée anti-inflammatoire sont dosées à 400 mg (*Advil* comprimé 400 mg, *Nureflex* comprimé 400 mg, *Brufen* comprimé à 400 mg);
  - **le kétoprofène :** à une dose journalière inférieure à 150 mg, le kétoprofène a des actions antalgique et antipyrétique (ex. : *Toprec* comprimé à 25 mg). Au-delà de 150 mg/j l'action anti-inflammatoire s'ajoute.

Effets indésirables et contre-indications des AINS

Les effets indésirables liés aux AINS sont :
- **toxicité digestive** : cet effet indésirable est le plus fréquent. Il se traduit par des **gastralgies**, des nausées, des **ulcères gastroduodénaux** qui peuvent se compliquer d'hémorragie digestive. Pour réduire la sévérité de ces complications digestives, il peut être nécessaire de prescrire un médicament réduisant l'acidité gastrique (comme un médicament inhibiteur de la pompe à protons : *Mopral* [oméprazole] comprimé 20 mg/j, *Lanzor* [lansoprazole] 15 mg/j, etc.). Cette toxicité est moindre avec les coxibs de par leur mécanisme d'action plus spécifique;
- **toxicité rénale : insuffisance rénale aiguë**, hypertension artérielle par rétention hydrosodée dans le compartiment vasculaire;

- **toxicité allergique** : prurit, éruptions cutanées (dont certaines potentiellement mortelles comme le syndrome de Lyell), œdème de Quincke, crise d'asthme, voire un choc anaphylactique ;
- **toxicité hépatique** : élévation des transaminases (ASAT et ALAT), et plus exceptionnellement survenue d'hépatites ;
- **toxicité gynéco-obstétricale** : les AINS exposent le fœtus à une fermeture du canal artériel et une insuffisance rénale au cours du 3e trimestre de la grossesse. **Tous les AINS sont donc contre-indiqués à partir du 6e mois de la grossesse. Les coxibs sont contre-indiqués pendant toute la période de grossesse ;**
- toxicité neuropsychique : céphalées, vertiges, acouphènes, etc.

Les **contre-indications** aux AINS sont :
- l'ulcère gastroduodénal évolutif ;
- l'insuffisance rénale ou hépatique sévère ;
- la grossesse : lors du 1er et du 3e trimestre ;
- l'allaitement ;
- l'allergie observée après une précédente prise d'AINS ;
- un antécédent de bronchoconstriction provoquée par les AINS ;
- un antécédent d'asthme observé avec l'aspirine ;
- les maladies inflammatoires de l'intestin comme la maladie de Crohn et la rectocolite hémorragique ;
- les enfants de moins de 15 ans sauf pour certains AINS (voir les indications AMM).

Interactions médicamenteuses avec les AINS

Les interactions sont nombreuses et les principales sont :
- la **prise de deux AINS**, à éviter car elle augmente le risque des effets indésirables ;
- association **AINS et antiagrégant plaquettaire** : elle augmente le risque de saignement ; les AINS possédant une activité antiagrégante ;
- **AINS et AVK** : augmentation du risque hémorragique car l'AINS se fixe préférentiellement à l'albumine plasmatique et provoque une augmentation de la forme libre et donc active de l'AVK. Dans le cas de cette association il est nécessaire de faire un INR pour suivre l'activité de l'AVK et au besoin revoir la posologie de l'AVK ;
- **AINS et méthotrexate** : l'AINS entre en compétition avec le méthotrexate pour se lier sur l'albumine plasmatique. Son affinité à l'albumine étant plus grande, il augmente la forme libre de méthotrexate et augmente donc le risque de toxicité hématologique dû au méthotrexate (*Novatrex, Méthotrexate*). Cette interaction est à connaître

car le méthotrexate peut être prescrit dans le traitement de la poly-arthrite rhumatoïde qui est une maladie où les AINS peuvent soula-ger les douleurs et inflammations;

- **AINS et lithium** : risque de surdosage en lithium. Le lithium (*Théralite*) est indiqué dans le traitement préventif des rechutes des troubles bipolaires.

Pratique IDE et conseils au patient traité par AINS

L'IDE doit évaluer l'efficacité du traitement par AINS. Ceci se fait en suivant l'évolution de l'échelle visuelle analogique (EVA) qui évalue la douleur, en évaluant la chaleur, et en évaluant la mobilité du membre ou de l'articulation douloureuse.

Il faut garder à l'esprit que le traitement par AINS :
- doit être prescrit pour une courte durée sauf pour certaines indications rhumatologiques;
- est associé à de nombreux effets indésirables dont surtout un risque hémorragique digestif;
- peut provoquer de nombreuses interactions médicamenteuses, notamment avec les AVK et le méthotrexate;
- est contre-indiqué au 1er et au 3e trimestre de la grossesse et lors de l'allaitement.

Anti-inflammatoires stéroïdiens (AIS)

Les AIS sont aussi appelés les corticoïdes ou les glucocorticoïdes.

Propriétés pharmacologiques des AIS

Les AIS ont trois actions pharmacologiques :
- anti-inflammatoire;
- immunosuppressive;
- antiallergique.

Indications des AIS

Les indications sont nombreuses et varient en fonction des principes actifs et de la voie d'administration.

Parmi les principales indications citons :
- le traitement de **maladies auto-immunes** : sclérose en plaques, lupus érythémateux, polyarthrite rhumatoïde, psoriasis, etc.;
- le traitement d'une **inflammation** : laryngite aiguë, otite séreuse, œdème cérébral, uvéite, etc.;

- le traitement d'**affection pulmonaire** : traitement de crise et de fond de l'asthme, fibrose pulmonaire interstitielle, sarcoïdose, etc. ;
- le traitement de la **greffe d'organe** : en prophylaxie ou traitement du rejet de greffe en complément des autres traitements antirejet, etc. ;
- le traitement des **réactions allergiques** : état allergique sévère, choc anaphylactique, œdème de Quincke sévère en complément des antihistaminiques, etc.

Les principaux médicaments de cette famille sont :
- disponibles par voie orale ou injectable :
  - hydrocortisone : *Hydrocortisone* en comprimé et en injectable IV,
  - prednisone : *Cortancyl* en comprimé,
  - prednisolone : *Solupred* en comprimé effervescent et en solution buvable,
  - méthylprednisolone : *Médrol* en comprimé ; *Solumédrol* en injectable IV ou IM ; *Dépo-Médrol* en injectable IM strictement,
  - dexaméthasone : *Dectancyl* en comprimé et en injectable IV ou IM,
  - β-méthasone : *Célestène* en comprimé, en goutte buvable et en injectable IV ou IM ; *Betnesol* en injectable pour infiltration intra-articulaire ; *Diprostène* en injectable IM ;
- disponibles par voie inhalée :
  - béclométasone : *Bécotide*,
  - budésonide : *Pulmicort*,
  - fluticasone : *Flixotide* ;
- disponibles par voie cutanée :
  - β-méthasone : *Betnéval* et *Diprosone* en crème, pommade et lotion,
  - hydrocortisone : *Efficort* en crème et *Locoïd* en crème, pommade et lotion.

Effets indésirables et contre-indications des AIS

Les effets indésirables sont nombreux ce qui justifie un traitement de la plus courte durée possible.

Notons comme principaux effets indésirables :
- **effets métaboliques : rétention hydrosodée** pouvant provoquer ou aggraver une HTA, **hyperglycémie** pouvant déséquilibrer un diabète équilibré, **hypokaliémie**, augmentation du **catabolisme protéique** pouvant provoquer une faiblesse musculaire, de l'ostéoporose, etc. ;
- **effets endocriniens** : effet orexigène, syndrome de Cushing, freinage de l'activité des glandes surrénales ;
- **effets digestifs : ulcère gastroduodénal**, gastralgie, etc. ;
- **effets neuropsychiques : insomnie, agitation** et euphorie ;
- **effets ophtalmologiques** : cataracte et glaucome ;

• **risque infectieux accru** : tuberculose, mycose, etc.;
• **modification de la voix avec les AIS administrés par voie inhalée**.
Les principales contre-indications sont :
• les infections non contrôlées;
• les ulcères gastroduodénaux en évolution;
• les antécédents de troubles psychiques induits par corticoïdes, etc.
En pratique, il n'existe aucune contre-indication pour une corticothérapie de très courte durée ou dont l'indication est vitale.

Interactions médicamenteuses avec les AIS

L'association «AIS et médicament pouvant entraîner des torsades de pointe» est déconseillée car elle risque d'induire un trouble cardiaque caractérisé à l'électrocardiogramme (ECG) par des torsades de pointe. Les médicaments pouvant entraîner les torsades de pointe sont les diurétiques hypokaliémiants (ex. : furosémide *Lasilix*), l'amphotéricine B (*Fungizone*), etc.
Il faut éviter d'associer un AIS à un AINS, à un anticoagulant, etc.

Semestre 3

> ### Pratique IDE et conseils
> ### au patient traité par AINS
>
> • L'IDE doit évaluer l'efficacité du traitement et détecter la survenue des effets indésirables.
> • Parmi les paramètres à suivre : le poids, la tension artérielle, la présence d'œdème, l'état cutané, l'état musculaire et la température corporelle.
> • L'IDE doit rappeler au patient l'importance de prendre son traitement de manière quotidienne quand l'AIS est prescrit dans le cadre d'une maladie chronique. Elle doit aussi rappeler l'importance du respect de la décroissance de dose quand le traitement est arrêté. Cette décroissance des doses par palier permet une reprise progressive de l'activité des glandes surrénales.

16. Antalgiques centraux

Rappel sur la classification des antalgiques

Les antalgiques peuvent être classés en trois paliers (I, II, III) en fonction de l'intensité de la douleur à traiter (*OMS*) ou selon leur mécanisme d'action (*IASP*). Parallèlement, il existe une échelle de la douleur (EVA) subjective allant de 0 à 10 permettant au patient, lorsqu'il le peut, d'indiquer lui-même l'intensité de sa douleur.

Tableau 39. Classification des antalgiques.

Classification OMS	Classification par mécanisme d'action
Palier I : douleurs faibles à modérées → antalgiques à action périphérique : paracétamol, anti-inflammatoires non stéroïdiens (AINS), aspirine **Palier II** : douleurs modérées → antalgiques centraux légers en association ou non aux antalgiques de palier I **Palier III** : douleurs sévères → antalgiques centraux puissants associés ou non à des psychotropes (anxiolytiques, antidépresseurs)	**Anti-nociceptifs** : → non opioïdes : AINS, paracétamol → opioïdes : Codéine, fentanyl, hydromorphone, morphine, oxycodone **Anti-hyperalgésiques** : → antagoniste NMDA : kétamine → antiépileptiques : gabapentine, prégabaline **Modulateurs des contrôles descendants excitateurs/inhibiteurs** : → antidépresseurs tricycliques → inhibiteurs de la recapture de la sérotonine et de la noradrénaline (IRSN) **Modulateurs de la sensibilisation/transmission périphériques** : → anesthésiques locaux, carbamazépine, capsaïcine, topiramate **Douleurs nociceptives et neuropathiques** : → tramadol, tapentadol

→ La morphine est souvent utilisée comme analgésique de référence pour comparer l'effet analgésiant des différents antalgiques.

Catégories des antalgiques centraux

Les antalgiques centraux sont classés en deux catégories : Les non-opioïdes et les opioïdes. Les antalgiques opioïdes agissent sur les récepteurs de nociception contrairement aux non opioïdes. Parmi les opioïdes, certains sont dits **opioïdes légers** et d'autres sont dits **opioïdes puissants**.
- Les antalgiques centraux non opioïdes : le néfopam.
- Les antalgiques centraux opioïdes :

– opioïdes légers : tramadol, codéine ;
– opioïdes puissants : buprénorphine, fentanyl, hydromorphone, morphine, nalbuphine, oxycodone, péthidine.

Non-opioïdes : le néfopam

Le néfopam est indiqué dans le **traitement symptomatique de la douleur**. La voie par injection (IV ou IM) est la seule voie disponible. Le nom de commercialisation est *Acupan* et est présenté sous forme d'ampoule de 2 mL à 20 mg.

- **Mécanisme d'action** : inhibition de la recapture de la sérotonine, de la noradrénaline et de la dopamine. Ces amines biogènes participent au processus de bien-être.
- **Posologie** : 20 mg toutes les 4 à 6 heures si besoin.
- **Interactions majeures** : atropine, antiparkinsoniens anticholinergiques, antidépresseurs tricycliques, du fait de la propriété anticholinergique du néfopam.
- **Contre-indications** : troubles convulsifs, épilepsie et enfants < 15 ans.
- **À surveiller** : sécheresse buccale, palpitations, sueurs et autres signes atropiniques (tachycardie, convulsions, confusion mentale).

Opioïdes légers : codéine et tramadol

Les opioïdes légers ont une faible affinité pour les récepteurs μ. La codéine est souvent présentée en association avec des antalgiques à action périphérique (tel que le paracétamol). Les dosages de codéine n'excèdent pas 50 mg dans ces associations. Le tramadol est formulé en gélules (libération prolongée ou pas), en solution buvable ou injectable. Codéine et tramadol sont indiqués dans le **traitement des douleurs ne répondant pas aux antalgiques périphériques et traitement des douleurs de palier II respectivement**.

- **Mécanisme d'action** : fixation sur les récepteurs μ et inhibition de la recapture des amines biogènes en plus pour le tramadol. L'activation des récepteurs μ induit une augmentation du seuil de perception de la douleur.
- **Posologie** :
  – codéine : 3 à 6 cp/j espacés de 4 heures ;
  – tramadol : 1 à 2 cp/j espacés de 4 à 6 heures (dose max. : 400 mg/j).
- **Interactions majeures** : autres morphiniques par risque de dépression du SNC, alcool, IMAO.

- **Contre-indication** : insuffisance respiratoire du fait de la dépression respiratoire possible de la codéine, insuffisance hépatique sévère.
- **À surveiller** : troubles gastro-intestinaux avec constipation, nausées et vomissement (en particulier le tramadol). Somnolence. Risque de toxicomanie par dépendance. Certaines personnes sont intolérantes au tramadol car très émétisant.

Opioïdes puissants

Les opioïdes puissants regroupent plusieurs familles pharmacologiques différentes. Leur puissance est supérieure à la morphine. Les spécialités sont disponibles sous différentes formes. On distingue les agonistes morphiniques purs et les agonistes-antagonistes. L'indication de cette classe d'opioïdes est **le traitement de la douleur intense et/ou rebelle.** Ils appartiennent aux stupéfiants et sont soumis à une gestion stricte (prescription, dispensation, administration).

Agonistes morphiniques purs

- **Mécanisme d'action** : agoniste des récepteurs μ augmentant le seuil de perception de la douleur.
- **Posologie** : voir tableau 40.
- **Interactions majeures** : IMAO et naltrexone sont contre-indiqués ; l'alcool renforce l'effet sédatif.
- **Contre-indication** : insuffisance respiratoire sévère, insuffisance hépatique sévère, grossesse.
- **À surveiller** : constipation et nausées, sédation importante, dépression respiratoire. La constipation et les nausées peuvent être anticipées par association avec un laxatif et un antiémétique. Toxicomanie : risque de dépendance.

Agonistes antagonistes : buprénorphine et nalbuphine

- **Mécanisme d'action** : agoniste -antagonistes des récepteurs μ.
- **Posologie :** voir tableau 40.
- **Interactions majeures :** sont contre-indiqués avec les autres morphiniques par risque d'apparition de syndrome de sevrage du fait de leur propriété antagoniste.
- **Contre-indication** : insuffisance respiratoire sévère, insuffisance hépatique sévère, grossesse.
- **À surveiller** : constipation et nausées, sédation importante, dépression respiratoire. La constipation et les nausées peuvent être anticipées par association avec un laxatif et un antiémétique. Toxicomanie : risque de dépendance.

Tableau 40. **Tableau récapitulatif des opioïdes puissants.**

DCI Princeps		Forme	Posologie (adultes)	Délai/durée d'action	Équivalence antalgique (mg de morphine per os)
Buprénorphine Temgésic		Injectable (IM, IV, SC)	0,3–0,6 mg/6-8 h	15–25 min/6-8 h	0,3 mg IM = 10 mg
		Sublinguale		15–40 min/6-8 h	–
Fentanyl	Abstral	Sublinguale	100 µg puis titration*	15 min/2-4 h	–
	Actiq	Applicateur buccal	200 µg puis titration*	15 min/1–2 h	–
	Breakyl	Film orodispersible	200 µg puis titration		–
	Durogesic	Dispositif transdermique	25 µg/h sur 3 jours	12 h/72 h	45–134 mg/24 h
	Effentora	Gingival	100 µg puis titration	10 min/2 h	–
	Instanyl	Pulv. nasale	50 µg puis titration	10 min/1 h	–
	PecFent	Pulv. nasale	100 µg puis titration	10 min/1 h	–
	Recivit	Sublingual	133 µg puis titration	10 min	–
Hydromorphone Sophidone		Gél.	1 prise/12 h	2 h/12 h	4 mg = 30 mg

(Suite)

Tableau 40. Suite.

DCI *Princeps*		Forme	Posologie (adultes)	Délai/durée d'action	Équivalence antalgique (mg de morphine *per os*)
Morphine (orale)	*Actiskenan*	Gél.	1 prise/4 h	30 min/4 h	–
	Sevredol	Cp			
	Morphine Cooper	Amp. buv.			
	Moscontin LP	Gél.	1 prise/12 h	2 h/12 h	
	Kapanol LP	Gél.		2 h/24 h	
Morphine injectable		IV	1–3 mg/4 à 6 h	2–5 min/2–3 h	10 mg = 30 mg
		SC	5–10 mg/4 à 6 h	15–20 min/3–5 h	15 mg = 30 mg
Nalbuphine *Nubain* *Nalbuphine*		Amp. (inj. IM, IV, SC)	10 à 20 mg/4–6 h Dose max. : 160 mg/j	2–5 min (IV), 15–30 min (IM, SC)/3–6 h	10 mg = 10 mg
Oxycodone	*OxyContin LP*	Gél.	1 prise/12 h	2 h/12 h	10 mg = 20 mg
	OxyNorm		1 prise/4 à 6 h	30 min/4–6 h	
Péthidine *Renaudin*		Inj. (IM, IV)	100 mg/4 h	30–60 min/3–4 h	100 mg = 30 mg
Tapentadol *Palexia LP*		Cp	100–500 mg/j	–	–

* Titration : recherche de la dose efficace par évaluation de la douleur en commençant par la plus petite dose et sous surveillance cardiorespiratoire.

17. Anesthésiques

Anesthésiques généraux

Définition

L'anesthésie générale se définit comme «la perte réversible de la conscience et de toute sensation, volontairement provoquée dans un but thérapeutique et dans laquelle les réflexes sont diminués ou abolis».

L'anesthésie générale peut s'obtenir avec des médicaments administrés par voie inhalée ou IV.

Elle se décompose en 4 phases : la prémédication, l'induction, le maintien et le réveil anesthésique.

Anesthésiques généraux inhalés

▶ Dérivés halogénés

L'isoflurane est l'anesthésique inhalé le plus utilisé. C'est un dérivé halogéné commercialisé sous le nom de *Forène*.

Il est utilisé pour l'induction et l'entretien anesthésique. Il permet un réveil rapide.

Sa **pharmacocinétique** se caractérise par :
- une absorption alvéolaire ;
- une distribution dans le sang, le cerveau et les graisses ;
- une très faible métabolisation hépatique de l'ordre de 0,5 % et qui ne conduit pas à la formation de métabolite toxique ;
- une élimination pulmonaire à 95 %.

Ses principaux avantages sont :
- une bonne tolérance cardiaque : il n'entraîne qu'une très faible modification de l'activité cardiaque et provoque peu d'arythmie ;
- une bonne tolérance hépatique ;
- une bonne myorelaxation.

Ses contre-indications sont :
- une hypersensibilité connue à l'isoflurane ou à un autre anesthésique halogéné ;
- une prédisposition génétique connue ou suspectée à l'hyperthermie maligne. L'hyperthermie maligne peut être déclenchée après administration d'un anesthésique volatile halogéné. Cette complication est rare mais avec un taux de mortalité de l'ordre de 5 %. Le *Dantrium* dantrolène est l'antidote à injecter en urgence en cas d'hyperthermie maligne.

La **principale interaction médicamenteuse** à connaître est avec le *Marsilid* – iproniazide qui est un antidépresseur appartenant à la famille des IMAO non sélectifs (type A et type B). Pour éviter cette interaction, le *Marsilid* doit être arrêté au moins 15 jours avant l'anesthésie et remplacé par un autre antidépresseur.

▶ Protoxyde d'azote

C'est un gaz de formule chimique N_2O. Il est inodore et incolore.

Ce gaz possède des propriétés analgésique et hypnotique.

Le MEOPA, mélange équimolaire de 50 % de N_2O et 50 % d'O_2, est surtout utilisé comme analgésique.

Le N_2O à de plus grande concentration peut être utilisé en anesthésie avec comme indications :
- adjuvant de l'anesthésie générale, en association avec tous les agents d'anesthésie administrés par voie intraveineuse ou par inhalation ;
- adjuvant de l'analgésie au bloc opératoire ou en salle de travail.

Ces principaux effets indésirables sont :
- des nausées et vomissements ;
- une augmentation temporaire de la pression et/ou du volume de certaines cavités de l'organisme.

Anesthésiques généraux injectés

Ils sont plus faciles à utiliser que les anesthésiques inhalés car il y a moins de risque de contamination du personnel soignant.

Ils permettent un endormissement rapide. Le principal inconvénient est un réveil moins rapide.

▶ Thiopental

Médicament n'existant que sous le nom de générique – le princeps *Pentothal* n'est plus commercialisé.

Ce médicament appartient à la famille des **barbituriques**. Il est commercialisé sous le nom de *Thiopental* 500 mg et 1 000 mg en poudre pour solution injectable.

Il se reconstitue dans de l'eau pour préparation injectable (eau PPI) ou du glucose 5 % ou du NaCl 0,9 %.

L'injection se fait uniquement par voie intraveineuse.

Il est indiqué pour l'induction et l'entretien de l'anesthésie générale intraveineuse.

Ses caractéristiques sont :
- une **induction rapide** et un **réveil rapide** ;
- une **action pharmacologique anticonvulsivante**.

Il est contre-indiqué chez les sujets asthmatiques ou ayant une dépression respiratoire ou allergique à ce médicament ou ayant une porphyrie.

Le principal effet indésirable est une possible accélération de la fréquence cardiaque.

▶ Étomidate – *Hypnomidate*

C'est un **puissant hypnotique à brève durée d'action** : l'effet est obtenu en 30 secondes et dure 3 à 5 minutes.

L'*Hypnomidate* se présente en ampoule de 20 mg et s'injecte par voie intraveineuse.

Il est utilisé comme :

- agent **inducteur de l'anesthésie générale** ;
- **potentialisateur d'agents anesthésiques** gazeux ou volatils ;
- **agent hypnotique unique** pour des interventions peu douloureuses de courte durée nécessitant un réveil rapide.

Son principal effet indésirable est d'inhiber la synthèse des stéroïdes et de provoquer des dyskinésies (mouvements anormaux involontaires).

Il est contre-indiqué chez les enfants de moins de 2 ans et chez toute personne connue comme hypersensible au médicament.

▶ Kétamine

Ce médicament n'existe que sous le nom de générique.

La kétamine est un anesthésique d'action rapide et de durée d'action courte.

Elle entraîne une anesthésie caractérisée par un sommeil superficiel, une analgésie, une amnésie et des manifestations psychiques indésirables au réveil.

La kétamine peut être utilisée seule, mais l'association avec une benzodiazépine (midazolam/diazépam) permet de diminuer l'incidence des effets secondaires au réveil.

Les 4 avantages de la kétamine sont :

- une **faible diminution de la ventilation spontanée efficace** du patient ;
- une **moindre diminution des réflexes** protégeant les voies aériennes supérieures, par rapport aux autres anesthésiques intraveineux ;
- un **effet bronchodilatateur** qui lui permet d'être utilisé chez des patients asthmatiques ;
- un **effet sympathomimétique** qui provoque une stimulation du système cardiovasculaire ; ceci se traduit dans les premières minutes suivant l'injection par une tachycardie et/ou une hypertension artérielle. Les autres agents anesthésiques provoquent plutôt une hypotension artérielle.

Semestre 3

La kétamine est indiquée pour l'induction et l'entretien de l'anesthésie générale.

Les principaux effets indésirables sont des troubles psychiques au réveil : cauchemars, hallucinations, etc. Ces effets indésirables limitent l'utilisation de la kétamine en pratique courante. Elle reste utile pour réaliser l'anesthésie générale d'un patient asthmatique.

Elle est contre-indiquée lors :

- d'une hypersensibilité connue au médicament ;
- d'une maladie cardiovasculaire, c'est-à-dire d'une hypertension artérielle non contrôlée, ou d'une insuffisance cardiaque sévère.

▶ **Propofol** – *Diprivan*

C'est le plus récent des anesthésiques généraux administrés par voie IV. Il a la particularité de se présenter sous la forme d'une émulsion lipidique à base d'huile de soja. Il existe en ampoules, flacons et seringues préremplies.

Le propofol est un agent anesthésique intraveineux, **d'action rapide, utilisable pour l'induction et l'entretien de l'anesthésie**. Il peut être administré chez l'adulte, chez l'enfant et chez le nourrisson de plus de 1 mois. **En pratique, le propofol est très utilisé.**

Son principal avantage est de permettre un **réveil rapide et de bonne qualité**.

Le principal effet indésirable est l'hypotension artérielle.

Il est contre-indiqué lors :

- d'une hypersensibilité à l'un des composants ;
- d'une hypersensibilité au soja, ce médicament est contre-indiqué en cas d'allergie à l'arachide ou au soja ;
- de l'allaitement.

Anesthésiques locaux

Un anesthésique local est un médicament qui, appliqué au contact des fibres nerveuses, a la propriété d'inhiber temporairement la conduction nerveuse. Il rend donc insensible à la douleur la zone correspondant à cette innervation.

Les anesthésiques locaux servent à réaliser :

- **l'anesthésie locale de surface** : cette anesthésie est obtenue par application de l'anesthésique sur la peau ou une muqueuse. Ex. : lidocaïne non injectable à 2 % – *Xylocaïne visqueuse,* prilocaïne associé à lidocaïne – *Emla patch 5 %* ;
- **l'anesthésie locale par infiltration :** cette anesthésie est obtenue par injection de l'anesthésique. Ex. : lidocaïne (*Xylocaïne*), lidocaïne associée à adrénaline (*Xylocaïne adrénaline*), mépivacaïne (*Mépivacaïne*) ;

- **l'anesthésie locorégionale de type rachianesthésie et anesthésie péridurale**. Ex. : lidocaïne (*Xylocaïne*), lidocaïne associée à adréna-line (*Xylocaïne adrénaline*), mépivacaïne (*Mépivacaïne*).
- La **rachianesthésie** correspond à l'injection de l'agent anesthésique dans le sac dural puis à sa diffusion dans le liquide cérébrospinal. Ceci permet l'anesthésie de la partie inférieure de l'abdomen et des membres inférieurs.
- L'**anesthésie péridurale** correspond à l'administration d'un anesthé-sique local dans l'espace péridural.

Anesthésiques locaux de surface

▶ **Prilocaïne associé à lidocaïne – *Emla patch 5 %, Emla crème 5 %***

Ce médicament est indiqué pour :
- l'**anesthésie par voie locale de la peau saine** par exemple avant ponctions veineuses ou SC, avant chirurgie cutanée superficielle, ins-trumentale ou par rayon laser (*Emla patch* et *Emla crème*) ;
- l'**anesthésie des muqueuses génitales** chez l'adulte par exemple avant chirurgie superficielle, avant infiltration à l'aiguille d'anesthé-siques locaux (*Emla crème*) ;
- l'anesthésie topique des ulcères de jambe afin de faciliter le net-toyage mécanique (*Emla crème*).

Sur la peau saine : l'effet anesthésique apparaît 60 à 90 minutes après l'application et la durée d'action est de 1 à 2 heures.

Sur la muqueuse : l'effet anesthésique apparaît 5 à 10 minutes après l'application et la durée d'action est de 15 à 20 minutes.

La posologie est différente en fonction de l'âge et elle doit être respectée.

Les effets indésirables sont rares : érythème, prurit, sensation de chaleur.

La principale contre-indication est l'hypersensibilité connue au médi-cament ou à ses excipients.

Ce médicament est très utilisé en pratique courante.

▶ **Lidocaïne non injectable à 2 % ou 5 % – *Xylocaïne visqueuse 2 %* et *Xylocaïne nébuliseur 5 %***

Le gel oral de *Xylocaïne visqueuse 2 %* est indiqué pour :
- l'anesthésie locale de contact avant explorations instrumentales stoma-tologiques, laryngoscopiques, fibroscopie œsophagienne ou gastrique ;
- le traitement symptomatique de la douleur buccale ou œsogas-trique.

Le gel urétral de *Xylocaïne visqueuse 2 %* est indiqué pour l'anesthésie locale de contact avant exploration en urologie.

L'anesthésie se produit généralement en 5 minutes et se prolonge pendant approximativement 20 à 30 minutes.

Les effets indésirables sont rares : ils peuvent être cutanés (rash, prurit, etc.).

La principale contre-indication est l'hypersensibilité connue au médicament ou à ses excipients.

▶ **Lidocaïne 5 % en emplâtre – *Versatis***

Il s'agit de compresse imprégnée de lidocaïne à 5 %.

Sa seule indication est le traitement symptomatique des douleurs neuropathiques post-zostériennes (liées au zona).

L'emplâtre doit rester appliqué sur la peau pendant une durée maximale de 12 heures par jour.

En pratique, l'emplâtre peut être découpé aux ciseaux avant d'enlever le film protecteur afin d'obtenir la taille et la forme nécessaire.

L'usage est cutané uniquement (pas d'application sur les muqueuses).

Anesthésiques locaux injectables

Les principaux médicaments sont : lidocaïne (*Xylocaïne*), lidocaïne associée à adrénaline (*Xylocaïne adrénaline*), mépivacaïne (*Mépivacaïne*), bupivacaïne (*Bupivacaïne*) et ropivacaïne (*Naropéine*).

L'association de l'adrénaline à un anesthésique local injectable a pour intérêt de permettre une vasoconstriction dont les conséquences sont une augmentation de la durée de l'effet anesthésique et une diminution de la diffusion à partir du point d'injection.

Les **indications** sont l'anesthésie locale par infiltration, l'anesthésie péridurale et la rachianesthésie.

Le **principal effet indésirable** de ces anesthésiques est le malaise vagal, c'est-à-dire bâillement, pâleur, sueur. Le patient doit alors être mis en décubitus et les jambes surélevées. Les effets secondaires de type toxicité neurologique (convulsions) et cardiovasculaire (HTA) apparaissent lors de surdosage.

Pratique IDE

L'IDE doit savoir dépister les effets indésirables des anesthésiques généraux et locaux.

Le monitoring du patient est donc essentiel : cyanose ? Pression artérielle ? Reprise de la conscience ? Reprise des réflexes ? Nausées ? Céphalées ? Etc.

18. Psychotropes

Classification des psychotropes

Les psychotropes sont définis comme étant des substances capables d'agir sur l'activité cérébrale. Selon la classification de Delay, il y a :
- les psychoanaleptiques = augmentation du psychisme :
  - psychotoniques (actifs chez tous les sujets),
  - antidépresseurs (actifs chez les dépressifs) ;
- les psychorégulateurs = régulation de la psychose maniacodépressive (Li) ;
- les psycho(cata)leptiques = diminution du psychisme et de l'activité mentale :
  - anxiolytiques (tranquillisants mineurs),
  - sédatifs (calmants),
  - hypnotiques (sommeil),
  - neuroleptiques (antipsychotiques = tranquillisants majeurs) ;
- les psychodysleptiques = troubles mentaux (hallucinogènes).

Seules les trois premières classes constituent des substances d'intérêt thérapeutique.

Psychoanaleptiques

Dérivés de l'amphétamine (substances noo-analeptiques)

- **Mécanisme d'action :** augmentation de l'activité motrice par potentialisation de l'activité α 1 adrénergique. Augmentation de la quantité des monoamines (dopamine, noradrénaline). Ce qui induit une augmentation de la vigilance et diminution de la durée du sommeil.
- **Indications :** traitement chez l'adulte de la narcolepsie (avec ou sans cataplexie) et de la somnolence diurne excessive.
- **Interactions majeures :** alcools, anesthésiques halogénés.
- **Contre-indications :** enfants de moins de 6 ans, grossesse, allaitement, filles et femmes en âge de procréer, hyperthyroïdie, glaucome, troubles cardiovasculaires, angoisse, troubles psychotiques. Association aux IMAO non sélectifs.
- **À surveiller :** fonction hépatique, numération sanguine. Faire un bilan cardiaque avant instauration du traitement. Risques de troubles gastro-intestinaux, risque d'effets anticholinergiques (sécheresse buccale, tachycardie, sueurs, palpitations, etc.). Attention aux

insomnies et nervosité (ne pas donner le soir). Risque de dépendance. Les signes de surdosage sont un excès des effets anticholinergiques avec convulsions.

- **Spécialités** : *stupéfiants.*

Méthylphénidate :

- *Concerta LP* : comprimés LP – posologie : 18–54 mg/j en une fois – augmentation progressive par palier de 18 mg jusqu'à dose efficace (dose max. : 54 mg/j);
- *Medikinet LM* : gélules à libération prolongée – posologie : 5–10 mg/j puis augmentation progressive par palier de 5 mg – dose max : 60 mg/j – Ne doit pas être administré sans nourriture;
- *Ritaline* : comprimés LP ou non LP – posologie : 5–10 mg/j (matin et midi) puis augmentation par palier de 5 mg jusqu'à dose efficace (dose max : 60 mg/j);
- *Quasym LP :* gélules à libération prolongée – posologie : 5–10 mg/j (matin et midi) puis augmentation par palier de 5 mg jusqu'à dose efficace (dose max : 60 mg/j).

Non-amphétaminiques

- **Mécanisme d'action** : agonistes des récepteurs α 1 adrénergique. Augmentation de la quantité des monoamines (dopamine, noradrénaline). Agonistes/antagonistes des récepteurs à l'histamine H3 (pitolisant). Ce qui induit une augmentation de la vigilance active sur le sommeil diurne.
- **Indications :** traitement chez l'adulte de la narcolepsie (avec ou sans cataplexie) et de la somnolence diurne excessive.
- **Interactions majeures :** ciclosporine, pilules minidosées (échanger par les pilules normodosées). Opiacés et barbituriques (*Xyrem*).
- **Contre-indications :** anxiété sévère. Insuffisance hépatique sévère et allaitement (pitolisant).
- **À surveiller :** céphalées très fréquentes. Risques de troubles gastro-intestinaux. Les signes de surdosage sont insomnies et anxiété et excitations.
- **Spécialités :** **stupéfiant*
  - Modafinil *(Modiodal)* : comprimés – posologie : 100 à 400 mg/j en deux fois (matin et midi).
  - Oxybutyrate* (*Xyrem*) : sol buvable – posologie : 4,5–9 g/nuit en deux prises.
  - Pitolisant (*Wakix*) : comprimés – posologie : 9–36 mg/j avec augmentation par palier de 5 mg par semaine (dose max. : 36 mg/j).

Antidépresseurs

Indiqués dans le traitement de la **dépression**, les **troubles obses-sionnels compulsifs (TOC)** et les **phobies,** ils constituent le groupe des **thymoanaleptiques**. Ils sont répartis en cinq sous-classes. L'objectif de l'action pharmacologique repose sur la **potentialisation de l'action de la noradrénaline ou de la sérotonine** par inhibition de leurs recaptures ou de leurs dégradations ou en favorisant leurs libérations. La conséquence est une amélioration de la transmission synaptique. Ce sont les médicaments les plus consommés en France.

▎ Antidépresseurs tricycliques

- **Indications :** épisodes de dépressions, TOC.
- **Mécanisme d'action :** inhibiteurs non sélectif de la recapture de la sérotonine et de la noradrénaline par blocage des récepteurs présy-naptiques. Autre action : action histaminergique (structure apparen-tée). En conséquence, la quantité de noradrénaline disponible est augmentée. Sédation (effet histaminergique).
- **Interactions majeures :** alcools et autres substances sédatives. IMAO, sympathomimétique, anticholinergiques.
- **Contre-indication :** glaucome par fermeture de l'angle, infarctus du myocarde, rétention urinaire (adénome prostatique).
- **À surveiller :** levée d'inhibition (risque de passage à l'acte). Fonction cardiaque (tachycardie), convulsions, humeur, anxiété, sommeil, appé-tit. Prendre en charge les symptômes anticholinergiques (sécheresse buccale, constipation, rétention urinaire, hypotension orthostatique).
- **Spécialités :**

Tableau 41. **Tableau récapitulatif des antidépresseurs tricycliques.**

DCI *Princeps*		Forme	Posologie (adulte)	Sédation
Amitriptyline	*Elavil*	Cp	25–150 mg/j (max. : 250 mg/j)	Forte
	Laroxyl	Cp Gouttes buv. (4 %) Amp. inj.		
Amoxapine *Défanyl*		Cp séc.	150–200 mg/j	
Clomipramine *Anafranil*		Cp amp. inj.	25–150 mg/j	
Dosulépine *Prothiaden*		Gél. Cp	75–150 mg/j	

(Suite)

Semestre 3

Tableau 41. **Suite.**

DCI *Princeps*	Forme	Posologie (adulte)	Sédation
Doxépine *Quitaxon*	Cp séc. Gouttes buv. (1 %) Amp.	25–100 mg/j (max. : 400 mg/j)	
Maprotiline *Ludiomil*	Cp séc.	50–150 mg/j	Forte
Trimipramine *Surmontil*	Cp séc. Gouttes 4 %	50–100 mg/j	Forte
Imipramine *Tofranil*	Cp	25–150 mg/j	

▶ **Inhibiteurs de la monoamine oxydase (IMAO)**

- **Mécanisme d'action :** inhibition de l'enzyme intracellulaire de dégradation des amines, la monoamine oxydase. Augmentation intracellulaire de la concentration des amines biogènes (sérotonine et noradrénaline) et donc augmentation de la concentration synaptique des amines.
- **Indications :** dépression majeure.
- **Interactions majeures :** associations contre-indiquées entre IMAO y compris la sélégiline, les triptans (sérotoninergiques), le tramadol.
- **Contre-indications :** hypertension artérielle, insuffisance hépatique, phéochromocytome, grossesse et allaitement.
- **À surveiller :** risque de levée d'inhibition. Surveiller la tension artérielle (risque d'augmentation brutale). Possibles effets nauséeux, céphalées, insomnies. Attention à l'alimentation riche en tyramine ou tryptophane (fromage, certains alcools, extraits de levure).
- **Spécialités :**

Tableau 42. **Tableau récapitulatif des IMAO.**

DCI *Princeps*	Forme	Posologie (adulte)	Sédation
Iproniazide *Marsilid*	Cp 50 mg	25–150 mg/j	Non
Moclobémide *Moclamine**	Cp 150 mg	300–200 mg/j	Non

* IMAO sélectif de l'IMAO A.

▶ Inhibiteurs de la recapture de la sérotonine et de la noradrénaline (IRSNA)

- **Mécanisme d'action** : inhibiteurs des récepteurs de la recapture de sérotonine et de la noradrénaline. Les deux amines biogènes sont en concentration augmentée dans l'espace synaptique.
- **Indications** : dépression majeure, prévention des récidives de dépression et des troubles paniques. Anxiété. Douleurs neuropathiques périphériques du diabétique (duloxétine).
- **Interactions majeures** : IMAO, digitaliques autres antidépresseurs sérotoninergiques, anticholinergiques.
- **Contre-indication** : insuffisance hépatique ou rénale sévère (duloxétine, milnacipran).
- **À surveiller** : risque de levée d'inhibition, risque d'augmentation de la tension artérielle. Effets cholinergiques (hypersudation, bouche sèche, bouffées de chaleur, palpitations, tachycardie), syndrome sérotoninergique. Risque convulsion avec la duloxétine (nécessite une surveillance médicale le premier jour).
- **Spécialités** :

Tableau 43. **Tableau récapitulatif des IRSNA.**

DCI *Princeps*	Forme	Posologie (adulte)	Sédation
Venlafaxine *Effexor LP*	Cp LP	25–375 mg/j*	Oui
Milnacipran *Ixel*	Gél.	100 mg/j	–
Duloxétine *Cymbalta*	Gél.	60–120 mg/j	–

* Adaptation de dose en cas d'insuffisance hépatique ou rénale.

▶ Inhibiteurs sélectifs de la recapture de la sérotonine (ISRS)

- **Mécanisme d'action** : inhibiteurs sélectifs des récepteurs 5-HT (sérotonine) sans effet sur les autres récepteurs dopaminergiques, adrénergiques, noradrénergiques ou histaminiques. Augmentation de la concentration de sérotonine synaptique.
- **Indications** : dépression majeure, troubles paniques, agoraphobie, troubles d'anxiété, TOC.
- **Interactions majeures** : IMAO et triptans.
- **Contre-indications** : porphyrie (sertraline), insuffisance rénale sévère, grossesse, allaitement.

Semestre 3

- **À surveiller** : risque de levée d'inhibition. Risque de syndrome sérotoninergique. Nausée, somnolence, insomnie. L'arrêt du traitement se fait par palier dégressif.
- **Spécialités** :

Tableau 44. **Tableau récapitulatif des ISRS.**

DCI *Princeps*		Forme	Posologie (adulte)	Indications particulières
Citalopram *Seropram*		Comprimés Sol. buv. Amp. (IV)	10–40 mg/j	
Escitalopram *Seroplex*		Cp séc.	5–10 mg/j (max. : 20 mg/j)	Troubles anxieux Phobies Stress post-traumatique
Fluoxétine *Prozac*		Cp Gél. Sol. buv.	20 mg/j (max. : 60 mg/j)	Stress post-traumatique
Fluvoxamine *Floxyfral*		Cp	100 mg/j (max. : 300 mg/j)	
Paroxétine *Deroxat, Divarius*		Cp séc. Suspension buv.	20 mg/j (max. : 60 mg/ j)	Troubles anxieux Phobies
Citalopram *Seropram*	Inj.	Amp.	10–60 mg /j (palier de 10 mg/j) Max. : 60 mg/j	
	Per os	Cp séc. Sol. buv.	*Idem* (max. 48 mg/j pour sol. buv.)	
Sertraline *Zoloft*		gélules	50–200 mg/j	Prévention des rechutes dépressives
Vortioxétine *Brintellix*		Cp	10–20 mg/j	Dépression uniquement

▶ **Antidépresseurs atypiques**

Ces antidépresseurs n'agissent pas (ou peu) sur la recapture des amines biogènes. Ils ont la propriété d'être dénués de cardiotoxicité et d'effets anticholinergiques. Ils présentent donc moins de risques en cas de surdosage.

- **Mécanisme d'action** : induction de la recapture de la sérotonine (tianeptine).
- **Indications** : dépression majeure.
- **Interactions majeures** : association contre-indiquée avec IMAO. Alcool.
- **À surveiller** :
  - levée d'inhibition – risque suicidaire ;
  - miansérine et mirtazapine : Agranulocytose chez les personnes âgées et anémie aplasique. Somnolence, constipation, sécheresse de la bouche. En cas de surdosage : troubles du rythme, coma (miansérine). Sédation prolongée (mirtazapine) ;
  - tianeptine : troubles digestifs (nausées, vomissements, anorexie, sécheresse de la bouche), somnolence, cauchemars, insomnie, tachycardie. Diminution de la dose en cas d'insuffisance rénale.
- **Spécialités** :

Tableau 45. **Tableau récapitulatif des antidépresseurs atypiques.**

DCI *Princeps*	Forme	Posologie
Miansérine	Cp séc.	30–60 mg/j
Mirtazapine *Norset*	Cp Sol. buv. (15 mg/mL)	15–45 mg/j
Tianeptine *Stablon*	Cp	25–37,5 mg/j

Agonistes mélatoninergiques

- **Mécanisme d'action** : agonistes des récepteurs de la mélatonine MT1 et MT2 et antagonistes des récepteurs sérotoninergiques 5-HT2. Resynchronisation du rythme circadien. Augmentation des monoamines dopamine et noradrénaline. Amélioration de la qualité du sommeil.
- **Indications** : traitement des épisodes dépressifs majeurs.
- **Interactions majeures** : inhibiteurs du CYP1A2. L'inhibition de cette enzyme entraîne une diminution du métabolisme de l'agomélatine. Ceci induit une surconcentration plasmatique d'agomélatine.
- **Contre-indications** : insuffisance hépatique. Associations aux inhibiteurs puissants du CYP 1A2 (ex. : fluvoxamine, ciprofloxacine).

Semestre 3

- **À surveiller** : les signes cliniques d'une atteinte hépatiques sont étroitement surveillés à l'instauration du traitement et à chaque augmentation de doses.
- **Spécialités :**

Agomélatine (*Valdoxan*) : comprimé, voie d'administration per os – posologie : 25–50 mg en une fois au coucher.

Psychorégulateurs

Lithium

Le lithium est une substance utilisée en prophylaxie dans le traitement des troubles bipolaires. Il peut être utilisé dans les phases maniaques. À ce titre, le lithium aurait plutôt une action psychocataleptique.

- **Mécanisme d'action** : mécanisme d'action non élucidé. Il serait impliqué dans une diminution de la voie des seconds messagers. La conséquence serait une réduction de l'activité des neurotransmetteurs.
- **Indications :** accès maniaque des troubles maniacodépressifs.
- **Interactions majeures :** médicaments modifiant l'équilibre hydrique tels que les diurétiques, les IEC. Les neuroleptiques augmentent la toxicité du lithium.
- **Contre-indications :** insuffisance rénale (le lithium entre en compétition avec le sodium) régime hyposodé.
- **À surveiller :** effets indésirables dose-dépendant tels que troubles gastro-intestinaux, prise de poids, troubles thyroïdiens, troubles neuropsychiques, perte de cheveux, acné, troubles cardiaques. Signes de surdosages : nausées, vomissement, diarrhées, douleurs abdominales, ataxie, déshydratation. Faire un dosage de la lithémie (taux de lithium dans le sang).
- **Spécialité :**

Tableau 46. **Spécialités du lithium.**

DCI *Princeps*	Forme	Posologie	Équivalence lithium/unité (mmol)
Carbonate de lithium *Téralithe*	Cp séc. LP 400 mg	400–800 mg/j (augmentation par palier de 200 mg)	10
	Cp séc. 250 mg	250–750 mg/j	7

Psycholeptiques

Sédatifs, anxiolytiques

▌ Benzodiazépines

- **Mécanisme d'action** : potentialisation de l'activité GABAergique par stimulation du récepteur GABA. Entrée massive d'ions Cl⁻ dans la cellule cible. Diminution de l'excitabilité membranaire postsynaptique.
- **Indications** : anxiolytique, hypnotique, myorelaxant, anticonvulsivants.
- **Interactions majeures** : toutes substances dépressives du système nerveux central. Alcools. Buprénorphine (*Subutex*).
- **Contre-indications** : **apnée du sommeil, insuffisance hépatique, insuffisance respiratoire, toxicomanie.**
- **À surveiller** : syndrome de sevrage à l'arrêt brutal (prévoir un arrêt progressif) : anxiété, tremblements, myalgies, irritabilité, convulsions. Toxicomanes. Dépendance alcoolique croisée. Traitement prescrit sur 12 semaines maximum (risque de dépendance et de tolérance). Attention à la dépression respiratoire, tolérance et dépendance.
- **Antidote** : flumazénil (*Anexate*).
- **Spécialités** :

Tableau 47. **Tableau récapitulatif des benzodiazépines anxiolytiques.**

DCI *Princeps*		Forme	Posologie (adulte)	Demi-vie (heures)
Alprazolam *Xanax*		Cp séc.	0,5–4 mg/j	12
Bromazépam *Lexomil*		Cp séc.	2–12 mg/j	20
Clobazam *Urbanyl*		Cp séc. Gél.	5–60 mg/j	20
Clorazépate *Tranxène*	Inj.	IM ou IV	20–200 mg/j	30–150
	Orale	Gél.	10–90 mg/j	
Diazépam *Valium*		Cp séc. Gouttes (1 g = 0,33 mg)	5–40 mg/j	30–150
Loflazépate *Victan*		Cp séc.	1–3 mg/j	77
Lorazépam *Témesta*		Cp séc.	1–7,5 mg/j	10–20
Nordazépam *Nordaz*		Cp séc.	7,5–15 mg/j	30–150

(*Suite*)

Tableau 47. **Suite.**

DCI *Princeps*	Forme	Posologie (adulte)	Demi-vie (heures)
Oxazépam *Séresta*	Cp séc.	10–50 mg/j	8
Prazépam *Lysanxia*	Cp séc. Gouttes	10–30 mg/j	30–150

Tableau 48. **Tableau récapitulatif des benzodiazépines hypnotiques.**

DCI *Princeps*	Forme	Posologie (adulte)	Demi-vie (heures)
Estazolam *Nuctalon*	Cp	2 mg/j	17
Flunitrazépam *Rohypnol*	Cp séc.	0,5–1 mg	35
Loprazolam *Havlane*	Cp séc.	0,5–1 mg	8
Lormétazépam *Noctamide*	Cp séc.	0,5–2 mg/j	10
Nitrazépam *Mogadon*	Cp séc.	2–5 mg/j	40
Témazépam *Normison*	Cp séc.	10–20 mg/j	8
Zolpidem *Stilnox*	Cp séc.	5–10 mg/j	2,4
Zopiclone *Imovane*	Cp Cp séc.	3,75–7,5 mg/j	6

Tableau 49. **Tableau récapitulatif des benzodiazépines anticonvulsivants.**

DCI *Princeps*		Forme	Posologie (adulte)	Délai d'action/ durée d'action (IV)
Clonazépam *Rivotril*	Inj.	IV, IM	1–2 mg/j	2–3 min/1–3 h
	Per os	Cp séc. Gouttes (0,25 %)	2–6 mg/j	Demi-vie : 32–36 h
Diazépam *Valium* (inj.)		IV, IM	10–20 mg/j	5 min/6 h
Midazolam *Buccolam*		Sol. buccale	2,5–10 mg (posologie nourrisson, enfants)	10 min/durée courte

– autres anxiolytiques : *Buspar* (buspirone), indiquée dans l'anxiété excessive sans entraîner de dépendance et de syndrome de sevrage à l'arrêt. Mécanisme d'action complexe faisant intervenir les récepteurs sérotoninergiques ; *Équanil* (carbamates/méprobamate), indiqué dans l'anxiété excessive et dans les états d'agitations (forme IV). Même action que les benzodiazépines ; *Atarax* (hydroxyzine) : indiquée dans l'anxiété et l'insomnie. N'entraîne pas de dépendance ni de syndrome de sevrage à l'arrêt.

▶ Neuroleptiques

Les neuroleptiques, aussi appelés **antipsychotiques**, sont considérés comme étant les tranquillisants majeurs. Ils agissent sur les **symptômes de la psychose notamment la schizophrénie**. Les symptômes positifs (délire, hallucination) sont davantage ciblés que les symptômes négatifs (apathie émotionnelle, retrait social). Il existe six classes chimiques différentes. Elles possèdent toutes la même capacité à **bloquer les récepteurs dopaminergiques**.

- **Mécanisme d'action** : antagonistes des récepteurs dopaminergiques (D1 et D2). Certains sont antagonistes des récepteurs sérotoninergiques 5-HT2 (aripiprazole). La conséquence est une diminution de l'hyperactivité des voies dopaminergiques caractérisant la schizophrénie. Il y a une action sédative (anti agitation et angoisse) et une action antipsychotique (anti délire et hallucination).
- **Indications** : traitement des psychoses dont la schizophrénie.
- **Interactions majeures** : alcools, agonistes dopaminergiques, antiparkinsoniens, certains neuroleptiques.
- **Contre-indications** : glaucome par fermeture de l'angle, agranulocytose (antécédent compris), allongement de l'intervalle QT, grossesse et allaitement (phénothiazines, benzamides, butyrophénones), insuffisance hépatique ou rénale (thioxanthène).
- **À surveiller** : tachycardie, hypotension et troubles du rythme cardiaque (allongement intervalle QT), sécheresse buccale, troubles de la miction, agranulocytose (neuroleptiques atypiques) et risque de photosensibilisation (phénothiazines). Les effets secondaires sont les syndromes extrapyramidaux (parkinsonismes) tels que dystonie, dyskinésie tardive et akathisie ; des troubles endocrinologiques (prise de poids, gynécomastie et hyperprolactinémie). Il y a un risque d'hyperthermie nécessitant l'arrêt du traitement (phénothiazines, butyrophénones). En cas de surdosage : effets parkinsoniens accrus, dépression respiratoire, coma, tachycardie.
- **Spécialités** :

Semestre 3

Tableau 50. Tableau récapitulatif des neuroleptiques.

Classe	DCI *Princeps*	Forme	Posologie	Agranulo-cytose	Effets extrapyra-midaux aigus et chroniques	Effets autonomes (anticholi-nergique et antiadré-nergique)	Allongement intervalle QT	Photo sensibilisation	Effets endocriniens (gynécomastie, prise de poids, galactorrhées)
							À surveiller		
Aripiprazole	**Aripiprazole** *Abilify*	Cp Cp orodispersible	10-30 mg/j	0	+	++	0	0	0
Butyrophé-nones	**Halopéridol** *Haldol* *Haldol decanoas* (IM)	Cp Gouttes Inj.	1-40 mg/j	0	+++	++	++	0	++
	Pipampérone *Dipiperon*	Cp sécable Gouttes	40-120 mg/j						
Lurasidone	**Lurasidone** *Latuda*	Cp	37-148 mg/j	0	+	+	+	0	++

(Suite)

Tableau 50. **Suite.**

Classe	DCI *Princeps*	Forme	Posologie	Agranulo-cytose	Effets extrapyra-midaux aigus et chroniques	Effets autonomes (anticholi-nergique et antiadré-nergique)	Allongement intervalle QT	Photo sensibilisation	Effets endocriniens (gynécomastie, prise de poids, galactorrhées)
							À surveiller		
	Clozapine *Leponex*	Cp sécable	100-450 mg/j (max.: 600 mg/j)	++++ (carnet de gestion)	++	+	++ (surtout si surdosage)	0	++++
Neuro-leptiques atypiques	**Loxapine** *Loxapac* *Adasuve*	Cp Gouttes Inj. (IM) Poudre (inhalation)	50-300 mg/j 9,1 mg	+	+	++	+	0	++
	Olanzapine *Alasta* *Onezyp* *Zyprexa*	Cp Cp orodispersible	5-20 mg/j	0	+	++	+	+	+++
	Quétiapine *Xeroquel LP*	Cp	50-800 mg/j						

(Suite)

Tableau 50. Suite.

Classe	DCI *Princeps*	Forme	Posologie	Agranulocytose	À surveiller				
					Effets extrapyramidaux aigus et chroniques	Effets autonomes (anticholinergique et antiadrénergique)	Allongement intervalle QT	Photo sensibilisation	Effets endocriniens (gynécomastie, prise de poids, galactorrhées)
Phénothiazines	**Chlorpromazine** *Largactil* **Cyamémazine** *Tercian* **Lévomépromazine** *Nozinan*	Cp séc. Gouttes 4 % Inj.	25-300 mg/j (max. : 600 mg/j *per os*)						
	Pipotiazine *Piportil*	Cp séc. Gouttes 1 % Gouttes 4 %	10-20 mg/j	0	+++	++	++	+++	++
	Propériciazine *Neuleptil*	Cp séc. Goutte 4 %	25-100 mg/j						
	Fluphénazine *Modécate*	Sol. injectable (IM)	25-150 mg /3-4 semaines						
	Pipampérone *Dipipéron*	Cp séc. Gouttes	40-120 mg/j						

(Suite)

Tableau 50. Suite.

Classe	DCI / *Princeps*	Forme	Posologie	Agranulocytose	Effets extrapyramidaux aigus et chroniques	Effets autonomes (anticholinergique et antiadrénergique)	Allongement intervalle QT	Photosensibilisation	Effets endocriniens (gynécomastie, prise de poids, galactorrhées)
							À surveiller		
Orthopramides	**Amisulpiride** *Solian*		50-1200 mg/j						
	Sulpiride *Dogmatil Synedil Synedil Fort*	Cp séc. Sol. buv. Cp	50-1600 mg/j	0	+	+	+	0	+++
	Tiapride *Tiapridal*	Cp séc. Gouttes	200-400 mg/j (max.: 800 mg/j)						
Rispéridone	**Rispéridone** *Risperdal*	Cp séc. Sol. buv. Cp orodispersible	2-16 mg/j	0	++	+++	++	0	++
Thioxanthènes	**Flupentixol** *Fluanxol*	Gouttes 4 %	20-80 mg/j (max.: 400 mg/j)	0	+++	++	++	+	++
	Zuclopenthixol *Clopixol*	Cp gouttes	20-200 mg/j						

Semestre 3

165

19. Effets iatrogènes, intoxications médicamenteuses et pharmacodépendance

Iatrogénie médicamenteuse

Définitions

L'iatrogénie correspond à tous les évènements indésirables provoqués chez un patient en rapport avec la pratique médicale.

On parle d'**iatrogénie médicamenteuse** quand il s'agit des évènements indésirables liés à la prise de médicament (EIM : effet indésirable médicamenteux). Il faut garder à l'esprit que tout principe actif possède un rapport bénéfice/risque qui peut être défini ainsi :

- le **bénéfice** : il correspond à l'effet thérapeutique recherché pour traiter une pathologie ;
- le **risque** : il correspond aux effets indésirables liés aux propriétés pharmacologiques du principe actif.
- Ex. : *Augmentin* – association d'amoxicilline et acide clavulanique à la posologie de 1 gramme 3 fois par jour a pour bénéfice de permettre le traitement de nombreuses infections bactériennes et comme principal risque celui de provoquer des troubles digestifs (diarrhées, vomissements, etc.).

Le risque est donc indissociable du bénéfice. L'objectif est bien évidemment de disposer de médicaments dont les bénéfices cliniques pour le patient sont bien supérieurs aux risques encourus par ce dernier.

Aux doses thérapeutiques, quasiment tous les médicaments ont des effets thérapeutiques attendus bien supérieurs aux effets indésirables. Lorsque les doses thérapeutiques sont dépassées, c'est-à-dire en situation de surdosage, l'effet thérapeutique reste souvent le même qu'aux doses thérapeutiques mais les effets indésirables sont de plus en plus présents. Pour résumer, le bénéfice reste le même alors que les risques augmentent : le rapport n'est plus en faveur d'un bénéfice clinique attendu pour le patient. Selon le Code la santé publique (art. R. 5121-21, 150 et 152) un «effet indésirable» correspond à «une réaction nocive et non voulue, se produisant aux posologies normalement utilisées chez l'homme pour la prophylaxie, le diagnostic ou le traitement d'une maladie ou pour la restauration, la correction ou la modification d'une fonction physiologique, ou résultant d'un mésusage du médicament ou produit».

Chaque année environ 2 % à 4 % des hospitalisations sont dues à la prise de médicament dans un but thérapeutique (à l'exclusion des autolyses par prise de médicaments).

Gravité des effets indésirables médicamenteux

Elle est variable et dépend principalement de l'état clinique du patient chez qui cet EIM apparaît.

Selon le Code de la santé publique (art. R. 5121-152) un «effet indésirable grave» est «un effet indésirable létal, ou susceptible de mettre la vie en danger, ou entraînant une invalidité ou une incapacité importante ou durable, ou provoquant ou prolongeant une hospitalisation, ou se manifestant par une anomalie ou une malformation congénitale».

Les EIM peuvent être fréquents, occasionnels ou rares. Ils peuvent aussi être attendus, c'est-à-dire largement connus et décrits dans la notice du médicament, ou inattendus.

La pharmacovigilance a pour objet la surveillance du risque d'effet indésirable résultant de l'utilisation des médicaments.

Mécanismes de survenue des effets indésirables médicamenteux

On peut distinguer 5 mécanismes des EIM.

- L'EIM qui est une **conséquence de l'effet pharmacologique attendu** du médicament : il s'agit de l'excès d'efficacité du médicament sur l'organisme et il en résulte des EIM. Ce type d'EIM peut s'observer lorsque la dose est trop élevée ou la durée de prescription trop longue.
  - Ex. : l'injection d'une dose d'insuline trop importante par rapport à la glycémie du patient peut provoquer une hypoglycémie sévère ; la prise d'un antihypertenseur peut provoquer de l'hypotension orthostatique.
- L'EIM qui est une conséquence d'un **effet autre que l'effet thérapeutique du médicament** : il s'agit souvent d'un manque de spécificité du médicament.
  - Ex. : les AINS bloquent la synthèse des prostaglandines (PG) de manière non spécifique, c'est-à-dire celle des PG impliquées dans l'inflammation mais celle des PG qui ont des propriétés protectrices de la muqueuse gastrique ; les antibiotiques dits à large spectre d'action détruisent ou bloquent la croissance des bactéries responsables de l'infection mais aussi des bactéries qui vivent habituellement dans notre organisme comme au niveau du tube digestif, provoquant ainsi des diarrhées.

Semestre 3

- L'EIM qui est la conséquence d'un **effet pharmacologique mal compris**.
- L'EIM qui est la conséquence d'une **interaction médicamenteuse** : dès lors qu'un patient prend plusieurs médicaments, il faut craindre des interactions médicamenteuses dont le retentissement clinique est variable. Ces interactions sont très nombreuses et peuvent conduire à l'inefficacité d'un des traitements prescrits ou à une situation de surdosage.
  - Ex. : la prise simultanée d'un pansement gastrique (*Maalox* – hydroxyde d'aluminium associé à de l'hydroxyde de magnésium) et d'un antibiotique de la famille des fluoroquinolones (*Ciflox* – ciprofloxacine) peut entraîner une inefficacité du traitement antibactérien car ce médicament ne sera pas absorbé au niveau digestif. En effet, le *Maalox* se comporte comme une vraie barrière qui empêche tout échange avec le compartiment vasculaire.
- L'EIM qui est la **conséquence d'un arrêt brutal du médicament** : certains médicaments ne doivent pas être arrêtés brutalement car il peut se produire un phénomène de pharmacodépendance ou un effet rebond.
  - Exemple de pharmacodépendance : c'est une dépendance physique et/ou psychique d'un patient face à un médicament. Ce phénomène peut apparaître avec la famille des benzodiazépines (*Lexomil* – bromazépam, *Xanax* – alprazolam), des antalgiques morphiniques (*Efferalgan codéiné* – paracétamol associé à la codéine).
  - Exemple d'effet rebond : cela correspond à une reprise des symptômes pour lesquels le traitement avait été prescrit. Ce phénomène peut apparaître avec les β-bloquants (*Détensiel* – bisoprolol) : l'arrêt brusque peut s'accompagner d'une crise hypertensive.

Intoxications médicamenteuses

Définitions

L'intoxication médicamenteuse correspond à un **surdosage**, c'est-à-dire à la présence dans le sang du patient d'une concentration en médicament bien supérieure à la concentration nécessaire pour avoir l'effet thérapeutique.

Origine des intoxications médicamenteuses

L'intoxication médicamenteuse peut être volontaire (autolyse) ou involontaire.

Lorsque le surdosage est involontaire il peut s'expliquer par :

- La **prise par le patient d'une quantité trop importante de médicament**. Ceci peut s'observer chez les sujets âgés qui confondent les médicaments, les unités de prise et les moments de prise.

- Une **interaction médicamenteuse**. Il s'agit ici d'une interaction qui augmente la concentration d'un des deux médicaments.
  - Ex. : la prescription de simvastatine (*Zocor*) et d'un antifongique azolé (kétoconazole) peut provoquer un surdosage en simvastatine et un risque de rhabdomyolyse, c'est-à-dire une destruction des cellules musculaires pouvant s'accompagner d'une hyperkaliémie, d'une toxicité cardiaque et d'une insuffisance rénale aiguë. Ce surdosage s'explique par la capacité que possède l'azolé d'inhiber les enzymes qui assurent la métabolisation de la simvastatine.
- Une **spécificité du patient**. Certaines caractéristiques du patient peuvent permettre d'expliquer des surdosages alors que la dose prescrite est dite thérapeutique. C'est notamment le cas des patients :
  - souffrant d'**insuffisance rénale chronique** et pour qui sont prescrits des médicaments dont l'élimination est assurée par le rein. Ex. : les aminosides (*Amiklin* – amikacine, gentamicine) sont des antibiotiques éliminés sous forme inchangée par voie urinaire. Un patient insuffisant rénal risque donc un surdosage par aminoside si les doses qui lui sont prescrites ne sont pas adaptées à sa fonction rénale ;
  - souffrant d'**insuffisance hépatique** et pour qui sont prescrits des médicaments métabolisés par le foie ;
  - avec une **variabilité génétique** dans la réponse au traitement. Ex. : certains patients sont dits «acétyleur lent», c'est-à-dire que pour eux l'enzyme N-acétyl-transférase métabolise moins rapidement les médicaments qui possèdent un groupement acétate. Il en résulte une accumulation et un surdosage pour ces médicaments. C'est notamment le cas avec l'isoniazide (*Rimifon*). Certains patients ont une hypersensibilité aux AVK en raison d'un polymorphisme dans le gène d'une enzyme intervenant dans le métabolisme des AVK (la vitamine K époxyde-réductase 1). Ces patients ont alors des INR très élevés (INR > 10) avec des doses usuelles. Il est donc nécessaire de réduire leurs doses ;
  - souffrant d'une **hypoalbuminémie** : de nombreux médicaments sont fixés à l'albumine dans le sang et utilisent l'albumine comme transporteur. Une hypoalbuminémie provoque pour ces médicaments une augmentation de la fraction libre du médicament, c'est-à-dire de la fraction active. Il en résulte un surdosage. L'hypoalbuminémie est fréquente chez les sujets dénutris, âgés, alcooliques chroniques, etc.
- Une **erreur de prescription** par le médecin.
- Une **erreur de dispensation** par le pharmacien.
- Une **erreur d'administration** par l'IDE.

Pharmacodépendance

Définitions

La pharmacodépendance correspond à un phénomène de dépendance d'un individu face à un médicament. Cette dépendance est psychique et parfois physique. Il peut s'ajouter à ce phénomène, un phénomène de tolérance.

- **Dépendance psychique :** c'est le désir irrépressible de reprendre le médicament pour retrouver les effets pharmacologiques.
- **Dépendance physique :** cela correspond à des troubles physiques qui apparaissent lorsque le sujet n'a pas pris le médicament dont il est dépendant. On parle aussi de syndrome de sevrage.
- **Phénomène de tolérance :** c'est la nécessité d'augmenter les doses de médicament pour obtenir l'effet dont le sujet est dépendant.

La pharmacodépendance est comparable à la toxicomanie.

Classes thérapeutiques concernées

Certaines classes thérapeutiques sont très addictogènes, c'est-à-dire qu'elles peuvent provoquer rapidement une dépendance.

Parmi elles citons :

- les **antalgiques opioïdes** : la codéine seule ou en association (*Dicodin LP*, *Efferalgan codéiné*, etc.), la morphine (*Actiskenan*, *Sevredol*, etc.), le fentanyl (*Durogesic*), etc. ;
- les **benzodiazépines et apparentés** : *Lexomil* (bromazépam), *Xanax* (alprazolam), *Stilnox* (zolpidem) ;
- les **antidépresseurs** : tricycliques (*Anafranil* [clomipramine], *Laroxyl* [amitriptyline]), inhibiteurs de la recapture de la sérotonine (*Deroxat* [paroxétine]) et les IMAO (*Moclamine* [moclobémide]).

Pratique IDE et conseils au patient

L'IDE participe à la réduction de l'iatrogénie médicamenteuse :
- en connaissant les particularités cliniques du patient à qui elle administre les médicaments (insuffisant rénal, patient très âgé, patient avec une hypoalbuminémie) ;
- en connaissant l'ensemble des médicaments pris par le patient dans le but de chercher les interactions médicamenteuses ;
- en connaissant les effets indésirables des médicaments, les interactions médicamenteuses et/ou en sachant s'informer *via* le *Vidal*, en contactant le pharmacien et/ou le médecin prescripteur en cas de doute ;
- en vérifiant qu'elle administre au bon patient le bon médicament à la bonne posologie et au bon moment de la journée.

20. Médicaments chez l'enfant

Rappels

Périodes de la naissance à l'enfance

- **Le nouveau-né :** période néonatale c'est-à-dire le premier mois de la vie. Immaturité physiologique et enzymatique.
- **Le nourrisson :** de 2 mois à 24 mois. Les changements physiologiques commencent à opérer.
- **L'enfant :** englobe **la petite enfance (2 à 6 ans)** et **la seconde enfance (6 à 12 ans)**. Malgré une évolution certaine, il existe une grande différence physiologique avec l'adulte, ce qui explique la très grande différence de réponse médicamenteuse.

Différences majeures avec l'adulte

- Chez le nouveau-né :
  - **immaturité hépatique :** le foie n'est pas totalement fonctionnel et le métabolisme hépatique est moins performant ;
  - **immaturité rénale :** dans les deux premiers mois de la vie. Le débit de filtration glomérulaire est de 20 mL/min/1,73 chez le nouveau-né ;
  - **immaturité digestive :** l'intestin n'est pas totalement développé. La surface spécifique de résorption est limitée ;
  - **système nerveux central :** il n'existe pas de barrière hémato méningée ;
  - **répartition hydrique :** le nourrisson contient davantage d'eau que l'adulte (et le taux de graisses est très faible) ; 75 à 80 % du poids corporel chez le nouveau-né à 55–60 % chez l'adulte.
- Chez l'enfant : l'ensemble des fonctions évoluent rapidement mais les capacités métaboliques restent différentes de celles de l'adulte.
- Médicaments : il s'agit de **substances potentiellement toxiques** dont les effets indésirables peuvent être augmentés selon l'état physiologique du patient. En conséquence, tout état physiologique immature modifiera la pharmacocinétique du médicament et peut rendre celui-ci plus toxique. **Le recours aux médicaments ne doit pas être systématique et requiert toujours un avis médical**.

Semestre 3

- Contre-indications : toute contre-indication chez l'enfant est une **contre-indication absolue** qui ne doit jamais être transgressée quelle que soit la raison.

Devenir du médicament

Les différences présentes chez l'enfant entraînent une modification particulière de la biodisponibilité du principe actif.
- **Résorption** : vidange gastrique plus longue et surface de résorption plus courte : modification du T max.
- **Distribution** : liaison protéique peu performante du fait d'un taux d'albumine plus faible. Taux de graisse plus faible : modification du Vd et de la $T_{1/2}$.
- **Métabolisme** : métabolisation hépatique peu ou non fonctionnelle : Modification de la $T_{1/2}$.
- **Élimination** : l'immaturité ralentit l'élimination : modification de la $T_{1/2}$.

Paramètres à prendre en compte

- **L'âge** : selon la période de l'enfance, les posologies et les doses seront adaptées.
- **Le poids** : le poids est sensiblement fonction de la taille et de l'âge de l'enfant. Les posologies sont souvent exprimées en mg/kg de poids corporel.
- **La surface corporelle** :
$$S \ (m^2) = \sqrt{([T \times P]/36)}$$
Avec S, la surface corporelle exprimée en m², T, la taille exprimée en mètre et P le poids exprimé en kg.
La surface corporelle est plus utilisée pour l'adaptation posologique lorsque celle-ci n'est pas mentionnée dans le RCP.

Formulation

Les médicaments destinés aux enfants sont présentés sous des formes galéniques appropriées. Ils sont présentés le plus souvent sous forme de solutions buvables, ou de suppositoires. Les solutions buvables sont généralement parfumées ou sucrées afin de cacher le goût quelquefois amer des médicaments. Les formulations sucrées et colorées peuvent faire l'objet d'accidents domestiques.
- **Comprimés** : sont contre-indiqués chez les nourrissons et la petite enfance.
- **Gélules** : ne sont généralement pas utilisés chez les enfants. Elles peuvent toujours s'ouvrir et le contenu peut être dissous dans un

peu d'eau. Éviter de dissoudre les médicaments dans le lait (risque de diminution de la biodisponibilité du principe actif).

- **Patches :** peuvent être adaptés. Attention aux risques d'allergies.
- **Sirops :** forme la plus adaptée et très souvent délivrés avec système d'administration doseur.
- **Solutions injectables :** sont utilisées quel que soit l'âge de l'enfant. Ce sont les sites d'injections qui doivent être adaptés (*cf.* épicrânienne chez le nouveau-né). La voie IM et la voie sous cutanée sont peu utilisées. Le vaccin peut être quelquefois douloureux.
- **Solutions buvables :** les gouttes sont faciles à administrer. Il est nécessaire de bien calculer le nombre de gouttes à administrer (1 goutte contient une quantité de principe actif → *p gouttes = X mg de PA*).
- **Suppositoires :** forme adaptée sauf en cas de diarrhées.

La dilution reste un moyen de préparation lorsque la formulation galénique d'une spécialité n'est pas adaptée. Certaines gélules, quand elles sont trop grosses, peuvent être ouvertes et le contenu dilué dans un peu d'eau pour **les enfants**.

Posologie

Les fréquences d'administration sont toujours indiquées dans le résumé des caractéristiques du produit (RCP) du dictionnaire *Vidal*.

Les doses chez l'enfant sont généralement fonction du poids. Il convient de toujours recalculer une dose prescrite.

- **Les systèmes doseurs :** il existe plusieurs formes de systèmes doseurs (godet, seringue, cuillère-mesure, pipette, etc.). Tous ces systèmes ne sont pas équivalents entre eux et **sont spécifiques aux médicaments pour lesquels ils sont vendus**. Les unités utilisées sur ces systèmes sont le mL, le mg ou la dose/kg,
- **Système de mesures standard :**
  - la cuillère à café : contenance de 5 mL environ ;
  - la cuillère à soupe : contenance de 15 mL environ (soit 1 cuillère à soupe = 3 cuillères à café);
  - une goutte d'eau = 0,05 mL.

Médicaments contre-indiqués chez l'enfant

Raisons

- **Immaturité biochimique** : le nouveau-né et le nourrisson n'ont pas encore totalement développé leurs systèmes enzymatiques. Il existe un risque quant à l'exposition à certaines substances qui peuvent s'accumuler et entraîner une intoxication.

- **Immaturité physiologique** : les organes essentiels au devenir du médicament dans l'organisme tels que le foie ne sont pas encore totalement fonctionnels. Le métabolisme et l'élimination se font moins bien comparativement à l'adulte.
- **Croissance :** tous les tissus sont en pleine croissance notamment le tissu osseux et le tissu nerveux. Certaines substances peuvent retarder ou stopper le processus de croissance chez l'enfant.

Exemples de médicaments contre-indiqués

Cette liste est donnée à titre indicatif et est non exhaustive. Il convient de toujours se référer au RCP du médicament.

- **Antibiotiques :** certains antibiotiques sont contre-indiqués chez l'enfant en croissance. Risque de retard de croissance osseuse. Ex. : quinolones, aminosides, tétracyclines.
- **Mucolytiques**, **mucofluidifiants** et **antihistaminiques H₁** sont contre-indiqués chez l'enfant de moins de 2 ans.
- **Corticoïdes** par voie nasale : contre-indiqué chez l'enfant de moins de 3 ans.

21. Dispensation des médicaments chez les personnes âgées

L'âge avancé ne contre-indique aucun traitement médicamenteux.

Il est admis que la notion de «personnes âgées» concerne les sujets de plus de 75 ans.

D'un point de vue épidémiologique, entre 5 et 15 % des personnes hospitalisées et âgées de plus de 65 ans ont pour motif d'hospitalisation la survenue d'un effet indésirable lié à un médicament.

La question essentielle à se poser avant de prescrire un médicament chez le sujet âgé est : quel est le bénéfice attendu de ce nouveau traitement et quels en sont les risques ? Il faut donc évaluer le rapport bénéfice/risque de chaque médicament en tenant compte des paramètres spécifiques de ces patients.

Principes de la prescription thérapeutique chez le sujet âgé

Avant toute prescription de médicament il faut :
- connaître toutes les pathologies et les antécédents du patient ;
- connaître tous les médicaments prescrits au patient en sachant qu'il a certainement plusieurs maladies chroniques et qu'elles sont prises en charge par un médecin généraliste et un ou plusieurs médecins spécialistes (cardiologue, rhumatologue, etc.). **Le sujet âgé cumule les pathologies chroniques et donc les ordonnances** ;
- bien évaluer l'état cognitif et le mode de vie du patient. Il est important de savoir si le sujet âgé est autonome, c'est-à-dire capable de prendre seul ses médicaments sans risque de se tromper ou si les médicaments lui sont préparés par une tierce personne.

Pharmacocinétique des médicaments prescrits chez le sujet âgé

Par rapport à un sujet jeune, le sujet âgé a de nombreux paramètres pharmacocinétiques modifiés. Par conséquent, pour un même médicament, l'efficacité et la tolérance peuvent varier entre un patient jeune et un patient âgé.

Nous présentons ci-dessous les paramètres pharmacocinétiques qui sont en théorie modifiés chez le sujet âgé.

- **Paramètres modifiant l'absorption :**
  - diminution de la vidange gastrique ;
  - diminution de la motilité gastro-intestinale ;
  - diminution de la sécrétion d'acide gastrique ;
  - **conséquence** : les médicaments dont l'absorption se fait essentiellement au niveau gastroduodénal seront absorbés moins rapidement. Il peut donc y avoir un décalage du temps T max. (voir fiche 2, « Définitions de la pharmacocinétique »).
- **Paramètres modifiant la distribution :**
  - diminution de l'albuminémie car le sujet âgé est fréquemment dénutri ;
  - **conséquence** : de nombreux médicaments sont habituellement fixés à l'albumine plasmatique et la carence en albumine provoque une augmentation de la forme libre du médicament, c'est-à-dire la forme active. Il peut donc y avoir un surdosage pour ces médicaments très liés à l'albumine.
- **Paramètres modifiant le métabolisme :**
  - diminution du fonctionnement hépatique : du débit sanguin hépatique et des enzymes hépatiques ;
  - **conséquence** : les médicaments qui sont normalement métabolisés et rendus inactifs par le foie vont l'être moins. Il peut donc y avoir une accumulation et un surdosage de ces médicaments. En revanche, si le médicament est une prodrogue et qu'elle doit être métabolisée par les enzymes hépatiques pour devenir un médicament actif, alors il y a un risque de sous-dosage pour le sujet âgé.
- **Paramètres modifiant l'élimination rénale :**
  - diminution du flux sanguin rénal et de la filtration glomérulaire ;
  - **conséquence** : les médicaments dont l'élimination se fait par voie urinaire sont moins bien éliminés chez le sujet âgé que chez le sujet jeune. Il y a donc un risque d'accumulation du médicament et de surdosage.

Il faut garder à l'esprit que :
- tous les médicaments ne sont pas concernés par les paramètres pharmacocinétiques présentés ci-dessus ;
- tous les sujets âgés n'ont pas forcément une diminution de la vidange gastrique, une diminution de l'albuminémie, une diminution de la fonction rénale, etc.

Mais les possibles modifications de pharmacocinétiques citées ci-dessus sont à connaître et elles doivent être mises en parallèle avec tous les signes cliniques traduisant l'efficacité et la toxicité du médicament pour dépister tout sous- ou surdosage.

Le manque d'étude spécifique de pharmacocinétique chez le sujet est à regretter.

Pharmacodynamie des médicaments prescrits chez le sujet âgé

Le sujet âgé est particulièrement sensible à certains médicaments. C'est notamment le cas :

- **avec les benzodiazépines** et apparentés (ex. : *Lexomil* [bromazépam], *Témesta* [lorazépam], etc.) : l'effet antidépresseur central est augmenté chez le sujet âgé; Il faut préférer les benzodiazépines à demi-vie courte et réduire la posologie de moitié (ex. : *Stilnox* (zolpidem) 5 mg/j, *Imovane* (zopiclone) 3,75 mg/j, etc.). Le risque des médicaments de cette classe est de provoquer de la somnolence et des chutes qui à cet âge sont très graves;
- **avec les antihypertenseurs** (ex. : *Amlor* [amlodipine], *Hyperium* [rilménidine], *Loxen* [nicardipine], etc.) : les récepteurs détectant les variations de pression artérielle dans l'organisme en fonction des changements de position (de la position allongée à debout, etc.) sont moins sensibles chez le sujet âgé et ne déclenchent pas les réflexes nécessaires pour ne pas ressentir ces variations de pression artérielle. Par conséquent un patient âgé qui a des traitements antihypertenseurs risque de souffrir d'hypotension orthostatique et ensuite de chuter;
- **avec les sulfamides hypoglycémiants** (ex. : *Amarel* [glimépiride], *Daonil* [glibenclamide], *Diamicron* [gliclazide], voir fiche 9) : cette classe peut provoquer des hypoglycémies excessives et non maitrisées. Il peut être opportun d'avoir recours aux inhibiteurs de la DPP-4 (*Januvia* [sitagliptine] en comprimé, etc.) ou à l'insuline avec au besoin l'aide d'une tierce personne pour effectuer les injections;
- **avec les médicaments anticholinergiques** (ex. : *Acupan* [néfopam], *Artane* [trihéxyphénidyl], *Lepticur* [tropatépine], *Akineton* [bipéridène], *Scoburen* [scopolamine], etc.) : ces médicaments peuvent provoquer comme effet indésirable la rétention aiguë des urines et ceci est particulièrement vrai avec les sujets âgés.

Interactions médicamenteuses chez le sujet âgé : polymédication et automédication

La polymédication augmente avec l'âge des patients et la fréquence des maladies chroniques (diabète, hypertension artérielle, maladie de Parkinson, etc.).

Or, plus un patient prend de médicaments et :

- plus le **risque d'interactions médicamenteuses** est important, dont des interactions avec de vraies conséquences cliniques pour le patient;

- plus le **risque de confusion** entre les médicaments augmente (confusion dans le nombre de comprimés ou de gélules, confusion dans les moments de prise, etc.).

L'automédication des sujets âgés concerne surtout l'aspirine, les AINS et les laxatifs. Il est fréquent que le patient ne mentionne pas la prise de ces médicaments lors de l'interrogatoire car comme ils sont dits « sans ordonnance », le patient pense très souvent qu'ils sont dénués de toxicité.

- Un des risques avec l'aspirine et les AINS est que le médecin prescrive un médicament de la même famille : le patient se retrouvant alors avec deux prescriptions d'aspirine ou d'AINS.
- Les risques avec les laxatifs sont :
  - une **hypovitaminose** pour les vitamines A, D, E et K lorsque le patient prend de manière chronique un laxatif de type « lubrifiant » tel que l'huile de paraffine (*Lansoÿl* ou *huile de paraffine*) ;
  - une **hypokaliémie** lorsque le patient prend de manière chronique un laxatif de type « stimulant » (*Dulcolax* [bisacodyl]) et un autre médicament hypokaliémiant tel que le *Lasilix* [furosémide]. La conséquence de cette interaction est une toxicité cardiaque à type de torsade de pointe.

Pratique IDE

L'IDE doit :
- **évaluer l'observance** du patient face à son traitement. Il faut lui rappeler l'importance de prendre les médicaments, si nécessaire lui recommander l'utilisation d'un pilulier pour réduire les confusions. Un travail de reformulation sur les médicaments, leurs indications, les moments de prise et les possibles effets indésirables est essentiel. **L'éducation thérapeutique est essentielle :** elle est à réaliser pour le patient lui-même ou pour l'aidant ;
- **dépister tous les effets indésirables** que les médicaments peuvent provoquer : vertige, somnolence, hypotension artérielle, etc. ;
- si besoin **sensibiliser la personne « aidant le patient »** au quotidien (une personne de la famille, etc.) aux traitements prescrits et à leurs effets indésirables ;
- s'assurer que les **formes galéniques des médicaments prescrits sont appropriées au patient** (exemple de forme galénique inappropriée : des gouttes buvables alors que le patient a une faible acuité visuelle). Si ce n'est pas le cas, il ne faut pas hésiter à le signaler au médecin prescripteur ;

- s'assurer que pour chaque nouveau médicament prescrit il y a bien une **période de titration** : c'est-à-dire que le nouveau médicament est prescrit à faible dose et la posologie est augmentée par pallier en fonction de la tolérance ;
- s'assurer que le **suivi biologique et le dosage de certains médicaments sont bien compris par le patient et effectué**. Il peut s'agit d'un suivi de la créatine plasmatique pour mesurer le bon fonctionnement du rein, d'un suivi de la kaliémie (pour un patient traité par diurétique ou IEC), d'un dosage de médicament ou du paramètre associé (activité anti-Xa, INR, concentration plasmatique en digoxine, etc.) ;
- il est raisonnable de vouloir « **alléger** » **l'ordonnance** d'un patient âgé. Le but est de prescrire au plus juste les médicaments utiles et de **dépister la survenue de tout effet indésirable pour ne pas altérer la qualité de vie**.

Semestre 5

22. Responsabilités infirmières en pharmacothérapie

Objectifs

L'objectif d'une prise en charge médicamenteuse repose sur deux principaux points :
- **bonne prise en charge clinique :** bon diagnostic, bonne thérapeutique ;
- **bonne adhésion du patient au traitement :** compréhension et observance.

La bonne thérapeutique inclut la thérapeutique médicamenteuse (prescription, dispensation et administration) et les soins paramédicaux de **bonne qualité** et de manière **sécurisée** pour le patient et le personnel.

L'adhésion au traitement est dépendante de la compréhension et de l'observance du patient.

Administration des médicaments

L'administration relève d'un acte thérapeutique infirmier réglementé (arrêté du 31 mars 1999) et doit répondre aux exigences des bonnes pratiques d'administration.

L'administration des médicaments doit toujours :
- être **conforme à une prescription** ;
- être contrôlée avant préparation (identité et concordance du médicament, forme, dosage, aspect, péremption) ;
- être préparée selon les **modalités d'administration** (RCP, protocoles, recommandations) ;
- suivre un **plan d'administration** conforme à la prescription ;
- être surveillée ;
- **être tracée** (date et heure d'administration, patient destinataire, nom du médicament, posologie, voie d'administration, identité de l'IDE).

Tout médicament non administré doit être signalé au prescripteur, au cadre responsable et au pharmacien.

Certains médicaments (médicaments dérivés du sang) doivent faire l'objet d'une traçabilité conformément au décret de pharmacovigilance, reprenant :
- identité du patient ;
- identité du soignant ;

- nom et dosage du médicament ;
- étiquette de traçabilité du médicament (numéro de lot/date de péremption) ;
- date et heure d'administration ;
- signes et symptômes apparus au cours de l'administration.

Il est nécessaire de connaître les **bonnes pratiques d'administration**. Elles prévoient les conditions de préparations et d'administration :

- vigilance : l'IDE ne doit jamais être dérangé ;
- hygiène ;
- vérification du patient destinataire ;
- vérification des doses et des voies d'injection (nature du médicament, patient âgé, enfants, nourrissons) ;
- débit d'administration (perfusions) ;
- intervalles d'administration ;
- prise en charge des accidents d'administration.

Signalements et transmissions

Liés à l'administration des médicaments

Tout incident doit être rapporté au responsable du service et au médecin responsable. La **déclaration de pharmacovigilance** est obligatoire pour tout professionnel de santé. Le nom du médicament, le numéro de lot et la date de péremption sont des informations obligatoires. Certains médicaments nécessitent une **surveillance obligatoire pendant l'administration**. Les effets observés doivent être tracés. La prise en charge des effets indésirables doit être immédiate selon les protocoles du service. **Tout médicament non administré doit être signalé au prescripteur et au pharmacien**. L'initiative de non-administration doit être concertée avec le responsable de l'unité et le médecin responsable.

Liés à l'équipe médicale

Les réunions d'équipes médicales doivent toujours inclure des IDE afin de pouvoir rapporter toute évolution clinique (intolérance, allergies, efficacité, humeur, innocuité) du patient liée ou non à la pharmacothérapie. Un compte rendu écrit, résumant l'évolution du patient, est rédigé et classé dans le dossier du patient.

Liés à l'équipe paramédicale

Les roulements d'équipes doivent être coordonnés de manière à assurer la **continuité des soins pharmacothérapeutiques**. Un acte commencé doit toujours être terminé par la même personne.

Toute information liée à l'évolution clinique du patient doit être notée dans le dossier du patient. Tout IDE doit prendre connaissance du dossier patient mis à jour continuellement.

Formation et informations

Formation continue

Le personnel médical et paramédical a **obligation de connaissance et de formation continue** pour assurer les actes médicaux et paramédicaux de manière sécurisée.

Ceci inclut des connaissances sur :
- les **dispositifs médicaux** (nouveaux dispositifs, nouvelles mesures de sécurités, protocoles de manipulation);
- les **médicaments** (classe thérapeutique, doses usuelles, contre-indication et effets indésirables majeurs);
- les **modalités de préparation et d'administration**;
- la prise en charge urgente des **surdosages**;
- les **protocoles de service**;
- les **nouvelles techniques thérapeutiques**.

Protocoles et procédures de service

Certains protocoles de prise en charge thérapeutique définis par les services ou par les comités (COMED, CLIN, CLUD, COMAI, COMIA, etc.) doivent être connus et appliqués.

Les procédures et mode opératoires des cahiers d'assurance qualités du service doivent être connues ainsi que toutes les procédures d'urgence.

Les protocoles de mesures d'hygiène : isolement, protection du personnel, circuit d'élimination des déchets, etc., sont à connaître.

Éducation du patient

L'éducation du patient face à son traitement et sa maladie est primordiale dans la prise en charge thérapeutique. L'IDE doit participer au programme d'**éducation thérapeutique** chaque fois qu'il est nécessaire et doit s'assurer de :
- la compréhension par le patient de la maladie et des objectifs thérapeutiques;
- la compréhension par le patient des modalités d'administration des médicaments;
- l'observance du patient.

L'IDE joue le **rôle d'interface** entre le patient et l'équipe médicale notamment dans ses missions d'IDE de réseau ou à domicile. Dans les pathologies lourdes ou rares, une équipe pluridisciplinaire incluant les IDE est mise en place pour le suivi des patients.

23. Prescription médicale

Une prescription médicale, pour quoi faire ?

La prescription médicamenteuse s'intègre dans la prise en charge globale d'un patient et de sa (ses) pathologie(s). Elle se concrétise par la rédaction d'une **ordonnance**. Cette ordonnance est essentielle pour le patient et pour tous les acteurs de santé qui vont interagir autour de lui. L'ordonnance sera un fil conducteur. Elle doit donc être précise et compréhensible de tous.

La prescription médicale est classiquement faite sur un **support papier**. Mais dans de nombreux hôpitaux la prescription est dite **informatisée** : elle se fait *via* un logiciel de prescription et fait partie du dossier patient.

Qui peut prescrire des médicaments ?

Peuvent prescrire des médicaments :
- les docteurs en médecine habilités à exercer en France et inscrits au Conseil de l'Ordre des médecins ;
- les chirurgiens-dentistes ;
- les sages-femmes ;
- les internes de médecine des hôpitaux sous la responsabilité de leur chef de service ;
- les IDE dans des cas très spécifiques (voir fiche 24) ;
- les pédicures-podologues.

Chacun de ces corps de métier a un droit de prescription de médicament qui varie en fonction de :
- son diplôme : un chirurgien-dentiste inscrit à l'Ordre des chirurgiens-dentistes ne peut pas prescrire les mêmes médicaments qu'un docteur en médecine inscrit à l'Ordre des médecins ;
- son lieu d'exercice (hôpital ou non) : un médecin libéral ne peut pas prescrire les mêmes médicaments qu'un médecin hospitalier ;
- sa spécialité médicale : un rhumatologue peut prescrire des médicaments qu'un cardiologue ne peut pas prescrire (et inversement) ;
- la situation : dans le cadre de protocoles préétablis par un médecin, un IDE peut entreprendre et adapter des traitements antalgiques.

Quels renseignements doivent figurer sur une ordonnance?

Les renseignements suivants doivent figurer sur une ordonnance :

- **identification du prescripteur :**
  - nom,
  - adresse,
  - numéro d'identification,
  - numéro de téléphone,
  - signature ;
- **date de la prescription** (la date de la prescription doit être la date du jour où elle est rédigée) ;
- **identification du patient :**
  - nom et prénom,
  - sexe,
  - âge, poids et taille : l'âge et le poids sont essentiels en pédiatrie ; la taille et le poids sont essentiels en cancérologie ;
- **identification des médicaments** avec pour chaque médicament prescrit :
  - nom : le nom de la spécialité commerciale ou la dénomination commune internationale (DCI) (ex. : *Clamoxyl* pour le nom de spécialité ou amoxicilline pour la DCI),
  - dosage unitaire : c'est la quantité de médicament par prise (ex. : 1 comprimé, 20 mg, 15 gouttes, etc.),
  - forme galénique (ex. : comprimé, comprimé à libération prolongée, sirop, etc.),
  - posologie journalière : c'est le nombre de prise par jour. Il est préférable que les horaires de prise soient renseignés plutôt que le nombre de prise par jour (ex. : à 8 h, à 12 h et à 18 h plutôt que 3 fois/j),
  - durée de traitement,
  - les modalités spécifiques de la prise du médicament : de nombreux médicaments sont d'autant plus efficaces qu'ils sont pris par le patient dans de bonnes conditions (ex. : *Vfend* [voriconazole] se prend 1 heure avant ou après le repas, *Noxafil* [posaconazole] se prend pendant le repas, ne pas prendre avec du thé ou du café, *Fosamax* [alendronate] doit être pris à jeun et le patient doit rester en position assise ou debout pendant 20 minutes, etc.),
  - si la prescription est faite sur une ordonnance dite sécurisée, le nombre de spécialités médicales prescrites doit être inscrit dans le cadre prévu à cet effet (en bas à droite),

– la mention non remboursable (NR) dans le cas d'une prescription d'un médicament en dehors des indications thérapeutiques remboursables;
- durée de l'ordonnance et nombre de renouvellements si nécessaire.

Différents types d'ordonnance

Il existe 4 types d'ordonnances :
- **ordonnance «normale»** manuscrite ou informatisée;
- **ordonnance «sécurisée»** : cette ordonnance est indispensable pour la **prescription de stupéfiants et des spécialités apparentées aux stupéfiants telles que** *Rohypnol* (flunitrazépam), *Tranxène* (clorazépate dipotassique), *Subutex*, *Temgésic* (buprénorphine) et *Stablon* (tianeptine). **Pour la prescription de stupéfiants ou d'apparentés** le médecin doit écrire en toutes lettres : la quantité prescrite, les unités thérapeutiques par prise, les doses ou les concentrations de substances, etc. Il doit également compléter le cadre situé en bas à droite de l'ordonnance en écrivant le nombre de spécialités médicales qu'il a prescrit sur cette ordonnance. L'objectif est d'empêcher quiconque de rajouter un nom de médicament sur l'ordonnance une fois qu'elle est rédigée par le médecin;
- **ordonnance «bizone»** : cette ordonnance est divisée en deux parties. Dans la partie supérieure le médecin prescrit les médicaments qui sont en rapport avec l'affection longue durée (ALD) du patient. Il existe une liste des ALD définie par le Code de la sécurité sociale et remise à jour régulièrement. Les médicaments prescrits dans ce cadre sont pris en charge à 100 % par l'assurance maladie. Dans la partie inférieure de l'ordonnance le médecin prescrit les médicaments qui ne sont pas en rapport avec cette ALD. Le taux de prise en charge de ces médicaments est celui défini par la vignette;
- **ordonnance pour les «médicaments d'exception»** : les médicaments d'exception sont des médicaments particulièrement coûteux. La liste est fixée par arrêté ministériel et mise à jour régulièrement. Ex. : *Aranesp, Cimzia, Enbrel, Eprex, Simponi, Zophren, Xolair*, etc. Ces médicaments doivent être prescrits sur une ordonnance spécifique qui est constituée de quatre volets : un pour le patient, deux pour les caisses et un pour le pharmacien.

Médicaments à prescription restreinte

Certains médicaments sont soumis à une prescription restreinte par le lieu d'exercice du médecin prescripteur ou par la spécialité médicale du prescripteur.

Médicaments réservés à l'usage hospitalier

Ces médicaments sont strictement administrés au cours de l'hospitalisation du patient. Ceci s'explique par la nécessité de disposer de moyens adaptés pour l'administration du médicament mais aussi pour le suivi du patient.

Ex. : *Angiox* (bivalirudine), *ReoPro* (abciximab), etc.

Médicaments à prescription hospitalière

Il s'agit de médicaments permettant de traiter des maladies dont le diagnostic et le suivi se font dans les établissements de soins. Ils sont prescrits par un médecin hospitalier, y compris s'ils doivent être renouvelés.

Ex. : *Afinitor* (évérolimus), *Ciflox* injectable (ciprofloxacine), *Amikacine* (amikacine), *Meronem* (méropénem), *Minocycline* (minocycline), etc.

Médicaments à prescription initiale hospitalière

Il s'agit de médicaments dont la 1re prescription est réalisée par un médecin hospitalier. Leur renouvellement peut être assuré par tout médecin (sauf cas mentionné).

Ex. : *Advagraf* (tacrolimus), *Aranesp* (darbépoétine), *Prezista* (darunavir), etc.

Médicaments à prescription réservée à certains spécialistes

La prescription initiale du médicament de cette catégorie est réservée aux médecins spécialistes dont la qualification est reconnue. Il en est de même pour le renouvellement de la prescription.

Ex. : *Afinitor* (évérolimus) ne peut être prescrit que par un oncologue ou un hématologue, qu'il exerce en milieu hospitalier ou non. *Rivotril* (clonazépam) en comprimé ou en gouttes : la prescription initiale annuelle est réservée aux spécialistes en neurologie ou en pédiatrie et le renouvellement est non restreint.

Médicaments nécessitant une surveillance particulière pendant le traitement

Sont classés dans cette catégorie les médicaments dont les restrictions apportées à la prescription sont justifiées par la gravité des effets indésirables que peut provoquer leur emploi.

Ex. : *Aclasta* solution pour perfusion (acide zolédronique); la clairance de la créatinine doit être mesurée avant chaque administration. *Cardensiel* (bisoprolol) : il faut surveiller les constantes vitales (fréquence cardiaque, pression artérielle) et dépister des symptômes d'aggravation de l'insuffisance cardiaque, *Dépakine* (acide valproïque) : une surveillance de l'état psychique est recommandée (des cas ont été rapportés de patients avec idées/comportements suicidaires), une surveillance hématologique et hépatique est également demandée au prescripteur, etc.

Médicaments nécessitant un accord de soin spécifique

Depuis peu de temps, pour quelques médicaments particulièrement à risque pendant la grossesse, le médecin et le patient doivent remplir et signer un document intitulé «formulaire d'accord de soins». Cet accord de soin concerne les médicaments contenant de l'acide valproïque (*Dépakine*, *Dépakote*), du mycophénolate (*Cellcept*).

Cet accord de soin a pour but de garantir que les patientes en âge de procréer sont pleinement informées des risques de malformations congénitales, d'avortement spontané lors d'une exposition à l'un de ces médicaments pendant la grossesse. Par conséquent, les patientes s'engagent à suivre une contraception adaptée. Il est demandé aux patientes d'avoir un exemplaire de ce formulaire avec elles.

Le pharmacien ne peut dispenser le médicament qu'après avoir constaté que ce formulaire est à dument complété et à jour.

Cas particuliers

Ordonnances dites «tarification à l'activité» à l'hôpital

À l'hôpital de nombreux médicaments doivent être prescrits sur des ordonnances spécifiques dites «tarification à l'activité» ou T2A.

Ces ordonnances précisent les indications thérapeutiques pour lesquelles l'hôpital sera remboursé à 100 % du prix du médicament. Normalement aucun de ces médicaments ne doit être prescrit en dehors des indications de l'AMM ou des recommandations de sociétés savantes.

La liste des médicaments T2A est définie par arrêté ministériel et remise à jour régulièrement. Ex. : *Aranesp*, *Cancidas*, *MabThera*, etc.

Prescription orale

La prescription orale doit être exceptionnelle et réservée aux situations d'urgence. Dans tous les cas le prescripteur doit ensuite effectuer une prescription écrite pour confirmer sa prescription orale.

Substitution

Le droit de substitution a été accordé aux pharmaciens en 1999 par la loi de financement de la Sécurité sociale.

Il permet aux pharmaciens de délivrer un autre médicament que celui qui a été prescrit par le médecin, dans le cadre exclusif du groupe générique mentionné dans le répertoire de l'Agence nationale de sécurité du médicament et des produits de santé (ANSM).

Deux conditions essentielles sont à respecter :
- pas de mention manuscrite « non substituable » sur l'ordonnance du prescripteur. L'opposition du prescripteur ne peut s'appliquer que pour des raisons particulières tenant au patient ;
- sont substituables uniquement les spécialités inscrites au répertoire des groupes génériques approuvés par l'ANSM.

Pratique IDE

À l'hôpital, suite à la prescription médicamenteuse faite par le médecin, l'IDE administre les médicaments au patient.

L'IDE doit :
- **vérifier** qu'elle administre le **bon médicament**, à la **bonne dose**, avec la **bonne voie d'administration**, au **bon moment** et au **bon patient**. Cette règle est essentielle à la bonne prise en charge du patient ;
- « **tracer** » les médicaments qu'elle a administrés sur un document qui fait partie du dossier médical du patient. Elle doit enregistrer sur ce document l'heure d'administration et la dose administrée. Si la dose n'a pas été administrée au patient, une explication doit être renseignée ;
- **ne pas hésiter à demander une clarification** au médecin-prescripteur dès lors que la prescription est illisible ou que l'IDE a un doute. La discussion avec le prescripteur est l'occasion d'échanger des informations sur le patient : signes cliniques traduisant l'efficacité thérapeutique du traitement, signes d'effets indésirables, signes de non-observance du patient, etc. Le pharmacien est aussi un interlocuteur de choix pour avoir des informations et des conseils sur les traitements prescrits ;
- être particulièrement vigilant pour les prescriptions de médicaments d'**acide valproïque** ou de **mycophénolate** et s'assurer de l'existence de l'accord de soin si la prescription concerne une femme en âge de procréer.

Semestre 5

24. Prescription infirmière

Cadre législatif

L'arrêté du 20 mars 2012, abrogeant l'arrêté du 13 avril 2007 et relatif à la prescription des infirmières fixe la liste des dispositifs médicaux que les IDE sont autorisés à prescrire.

L'IDE prescrit :

- dans la durée d'une **prescription médicale d'actes infirmiers** ;
- selon ses **compétences** ;
- **sans avis contraire** du médecin.

L'article L. 4311-1 modifié par la loi n° 2011-525 du 17 mai 2011 – art. 89 prévoit le renouvellement de prescriptions datées de moins d'un an de certains contraceptifs oraux.

Ordonnance

L'ordonnance est rédigée de manière lisible et intelligible. Elle doit tenir compte de l'évolution clinique du patient : **diagnostic infirmier et évaluation du besoin.**

Doivent figurer sur l'ordonnance :

- identités de l'infirmier prescripteur, numéro d'identification et signature ;
- identités du patient (nom, prénom, sexe, âge, poids) ;
- date de l'ordonnance ;
- nom des dispositifs médicaux prescrits ;
- nom des contraceptifs oraux, dosage, posologie ;
- mention « renouvellement infirmier » pour les contraceptifs[1].

Les règles de bonne prescription s'appliquent. L'IDE ne doit pas hésiter à obtenir tout complément d'informations du prescripteur et du fabricant (dispositifs médicaux) jugé nécessaire à la prescription.

Liste des dispositifs médicaux autorisés (*JO* du 30 mars 2012)

Dans le cadre d'une prescription médicale incluant les actes infirmiers, les IDE sont autorisés à prescrire, sauf contre-indication médicale :

---

1. Pour les contraceptifs oraux, les informations sont retranscrites directement sur l'ordonnance médicale d'origine conformément au décret n° 2012-35 du 10 janvier 2012.

- articles pour pansement :
  - pansements adhésifs stériles avec compresse intégrée,
  - compresses stériles (de coton hydrophile) à bords adhésifs,
  - compresses stériles de coton hydrophile non adhérentes,
  - pansements et compresses stériles absorbants non adhérents pour plaies productives,
  - compresses stériles non tissées,
  - compresses stériles de gaze hydrophile,
  - gaze hydrophile non stérile,
  - compresses de gaze hydrophile non stériles et non tissées non stériles,
  - coton hydrophile non stérile,
  - ouate de cellulose chirurgicale,
  - sparadraps élastiques et non élastiques,
  - filets et jerseys tubulaires,
  - bandes de crêpe en coton avec ou sans présence d'élastomère,
  - bandes extensibles tissées ou tricotées,
  - bandes de crêpe en laine,
  - films adhésifs semiperméables stériles,
  - sets pour plaies ;
- cerceaux pour lit de malade ;
- dispositifs médicaux pour le traitement de l'incontinence et pour l'appareil urogénital :
  - étui pénien, joint et raccord,
  - plat bassin et urinal,
  - dispositifs médicaux et accessoires communs pour incontinents urinaires, fécaux et stomisés : poches, raccord, filtre, tampon, supports avec ou sans anneau de gomme, ceinture, clamp, pâte pour protection péristomiale, tampon absorbant, bouchon de matières fécales, collecteur d'urines et de matières fécales,
  - dispositifs pour colostomisés pratiquant l'irrigation,
  - nécessaire pour irrigation colique,
  - sondes vésicales pour autosondage et hétérosondage ;
- dispositifs médicaux pour perfusion à domicile :
  - appareils et accessoires pour perfusion à domicile : appareil à perfusion stérile non réutilisable, panier de perfusion, perfuseur de précision, accessoires à usage unique de remplissage du perfuseur ou du diffuseur portable, accessoires à usage unique pour pose de la perfusion au bras du malade en l'absence de cathéter, implantable,

- accessoires nécessaires à l'utilisation d'une chambre à cathéter implantable ou d'un cathéter central tunnelisé : aiguilles nécessaires à l'utilisation de la chambre à cathéter implantable, aiguille, adhésif transparent, prolongateur, robinet à trois voies,
- accessoires stériles, non réutilisables, pour hépariner : seringues ou aiguilles adaptées, prolongateur, robinet à trois voies,
- pieds et potences à sérum à roulettes ;

Avec information au médecin traitant du patient, les produits de santé suivant s'ils sont inscrits sur la liste LPPR :

- matelas ou surmatelas d'aide à la prévention des escarres en mousse avec découpe en forme de gaufrier ;
- coussin d'aide à la prévention des escarres :
  - coussins à air statique,
  - coussins en mousse structurée formés de modules amovibles,
  - coussins en gel,
  - coussins en mousse et gel ;
- pansements :
  - hydrocolloïdes,
  - hydrocellulaires,
  - alginates,
  - hydrogels,
  - en fibres de carboxyméthylcellulose (CMC),
  - à base de charbon actif,
  - à base d'acide hyaluronique seul,
  - interfaces (y compris les silicones et ceux à base de carboxyméthylcellulose),
  - pansements vaselinés.
- sonde nasogastrique ou naso-entérale pour nutrition entérale à domicile.
- dans le cadre d'un renouvellement à l'identique, orthèses élastiques de contention des membres :
  - bas (jarret, cuisse),
  - chaussettes et suppléments associés ;
- dans le cadre d'un renouvellement à l'identique, accessoires pour lecteur de glycémie :
  - lancettes,
  - bandelettes d'autosurveillance glycémique,
  - autopiqueurs à usage unique,
  - seringues avec aiguilles pour autotraitement,
  - aiguilles non réutilisables pour stylo injecteur,
  - ensemble stérile non réutilisable (aiguilles et réservoir),
  - embout perforateur stérile.

Contraceptifs oraux autorisés

L'article L. 4311-1 du Code de la santé publique (CSP) autorise les IDE à renouveler les prescriptions de certains contraceptifs oraux. Les contraceptifs oraux autorisés ne doivent pas figurer sur la liste émanant du ministère de la santé. Ce renouvellement se fait à partir d'une ordonnance datant de moins d'un mois. La prescription infirmière ne doit pas dépasser six mois.

25. Réglementation concernant les médicaments listés et les stupéfiants

Classification des médicaments

Le Code de la santé publique précise la classification des médicaments, leur mode de prescription, de stockage et de dispensation spécifique à chaque classe.

Médicaments à prescription médicale facultative

Ces médicaments sont en **vente libre** et font partie de l'automédication. **Cela ne signifie pas qu'ils sont inoffensifs.**
Le pharmacien d'officine a pour rôle d'apporter des conseils sur l'automédication et de détecter toute interaction. Ex. : le *Maalox* qui est un médicament contre l'acidité gastrique et non soumis à prescription médicale peut modifier l'absorption digestive et donc l'efficacité de tous les médicaments qui sont administrés en même temps que lui.

Médicaments de la liste I ou II

Les médicaments qui appartiennent à la liste I ou la liste II contiennent des principes actifs dont la dose et/ou le potentiel toxique peuvent entraîner des risques pour la santé. On parle alors de **substances vénéneuses**.
Les médicaments de la liste I sont jugés plus à risque que ceux de la liste II.
Les médicaments appartenant à la liste I sont conditionnés dans des boîtes qui possèdent un cadre rouge. Pour les médicaments de la liste II, ce cadre est vert.
Exemple de médicament inscrit sur la liste I : *Ciflox* (ciprofloxacine ; antibactérien de la famille des fluoroquinolones).
Exemple de médicament inscrit sur la liste II : *Esidrex* (hydrochlorothiazide ; diurétique hypokaliémiant).

Médicaments stupéfiants

Les médicaments appartenant à cette liste sont des médicaments qui possèdent un risque de dépendance.
Ex. : *Actiskenan* (morphine), *Durogesic* (fentanyl), *OxyContin LP* (oxycodone), etc.

Les médicaments appartenant à cette liste sont conditionnés dans des boîtes qui possèdent un cadre rouge.

La prescription de **stupéfiants et spécialités apparentées** (*cf.* cas particuliers ci-après) doit se faire sur une ordonnance sécurisée. En plus des mentions habituelles devant figurer sur les ordonnances de tout médicament, le médecin doit absolument indiquer en toutes lettres : la quantité prescrite, les unités thérapeutiques par prise, les doses ou les concentrations de substances, etc.

Si l'ordonnance est présentée au pharmacien d'officine dans les 3 jours, ce dernier dispense l'intégralité des médicaments prescrits. Si l'ordonnance est présentée au pharmacien d'officine au-delà des 3 jours, alors celui-ci dispense la durée restant à courir.

Réglementation pour les médicaments des listes I, II et stupéfiants

 Voir tableau 51, page 198.

Cas particuliers

Rivotril, *Tranxène*, *Stablon* et buprénorphine (génériques de la buprénorphine, *Subutex*, *Temgésic* et *Suboxone*) sont des médicaments dits «assimilés aux stupéfiants», qui appartiennent à la liste I. Ils obéissent donc à des règles de prescription spécifiques.

▶ Cas particulier du *Rivotril* – clonazépam

Il s'agit d'une benzodiazépine indiquée dans le traitement de l'épilepsie.

Depuis le 7 septembre 2011, le *Rivotril* sous formes orales (comprimé et solution buvable) est soumis à la réglementation des stupéfiants. Il doit être prescrit sur une ordonnance sécurisée et en toutes lettres.

La durée maximale de la prescription est de 12 semaines et le traitement est délivré pour 30 jours.

La prescription initiale annuelle est réservée aux neurologues et aux pédiatres, le renouvellement pouvant être fait par tout médecin.

Mais ceci ne s'applique que sur les prescriptions qui sont exécutées dans les pharmacies dites «de ville». Cela ne s'applique donc pas aux prescriptions pour les patients en cours d'hospitalisation.

Tableau 51. **Médicaments des listes I, II et stupéfiants.**

	Liste I	Liste II	Stupéfiants
Ordonnance	Sécurisée ou non	Sécurisée ou non	Uniquement sécurisée Doivent être écrits en toutes lettres : – le nombre d'unités thérapeutiques par prise – le nombre de prises par jour – le dosage de la spécialité pharmaceutique
Renouvellement de l'ordonnance	Ordonnance non renouvelable sauf si le prescripteur a écrit « à renouveler » et le nombre de renouvellement	Ordonnance qui peut être renouvelée sauf s'il est mentionné « ne pas renouveler »	Ordonnance non renouvelable
Durée de validité de l'ordonnance	Maximum 12 mois si c'est spécifié sur l'ordonnance Sauf pour les médicaments hypnotiques : 4 semaines maximum Ex. : *Imovane, Stilnox, Mogadon, Havlane,* etc. ; les médicaments anxiolytiques : 12 semaines maximum Ex. : *Xanax, Témesta, Lexomil, Buspar, Atarax,* etc. La 1re dispensation des médicaments doit avoir lieu dans les 3 mois suivant la date de rédaction de l'ordonnance, sinon l'ordonnance n'a aucune valeur	Maximum 12 mois La 1re dispensation des médicaments doit avoir lieu dans les 3 mois suivant la date de rédaction de l'ordonnance, sinon l'ordonnance n'a aucune valeur	De 7 à 28 jours en fonction du médicament prescrit La 1re dispensation doit avoir dans les 3 jours suivant la date de la rédaction de l'ordonnance pour avoir la quantité de traitement prescrit (de 7 à 28 jours). Si le patient vient à partir du 4e jour, il lui sera délivré le traitement restant à courir

(Suite)

Tableau 51. **Suite.**

	Liste I	Liste II	Stupéfiants
Quantité que peut dispenser le pharmacien	Par fraction d'1 mois maximum sauf pour les contraceptifs oraux où la dispensation peut être pour 3 mois	Par fraction de 1 mois maximum	Par fraction de 7 à 28 jours en fonction du médicament prescrit
Stockage en pharmacie de ville = officine	Hors de portée du public	Hors de portée du public	Dans des armoires fermées à clé et sécurisées
Stockage dans les services hospitaliers	Dans des armoires fermées à clé dans des locaux spécifiques (poste de soins)	Dans des armoires fermées à clé dans des locaux spécifiques (poste de soins)	Dans des armoires fermées à clé dans des locaux spécifiques (poste de soins)

▶ **Cas particulier du *Tranxène* (clorazépate) et du *Stablon* (tianeptine)**

Tranxène est un anxiolytique et *Stablon* est indiqué dans le traitement des épisodes dépressifs majeurs. Tout médecin peut prescrire ces deux médicaments.
Ils doivent être prescrits sur une ordonnance sécurisée, avec une posologie en toutes lettres et pour une durée maximale de 28 jours.

▶ **Cas particulier de la buprénorphine**

La buprénorphine est un agoniste-antagoniste morphinique.
À la posologie de 0,2 mg par comprimé il est antalgique (*Temgésic*). À une posologie supérieure à 0,2 mg par comprimé ou gélule il est indiqué dans le traitement substitutif de la pharmacodépendance aux opioïdes (*Subutex*, *Suboxone*).
Tout médecin peut prescrire ces médicaments dès lors que la prescription est faite sur une ordonnance sécurisée et avec une posologie en toutes lettres.
La durée maximale de prescription est de 28 jours pour le *Subutex*, *Suboxone* et de 12 mois pour le *Temgésic*.
La délivrance est fractionnée et de 7 jours maximum pour le *Subutex*, *Suboxone*. Elle est de 30 jours pour le *Temgésic*.
Finalement les «contraintes» réglementaires sont plus fortes pour les prescriptions de buprénorphine faites dans le cadre du traitement substitutif de la pharmacodépendance aux opioïdes; ceci est lié au risque d'usage détourné de ce médicament.

Semestre 5

▶ Cas particulier de la *Méthadone* – méthadone

C'est un stupéfiant prescrit dans le sevrage aux opiacés. La durée maximale de prescription est limitée à 14 jours et la délivrance fractionnée par périodes de 7 jours.

▶ Cas particulier d'une ampoule de stupéfiant cassée ou d'une gélule ouverte dans son conditionnement

Tout stupéfiant cassé ou détérioré avant administration au patient doit être tracé comme tous les autres stupéfiants. Concrètement, l'IDE doit inscrire sur le document qui sert à suivre les administrations à chaque patient, le nombre, le dosage et le nom du stupéfiant cassé et celui du patient à qui le traitement était destiné.

Pratique IDE

L'IDE doit absolument s'assurer que le support de prescription est adapté au médicament prescrit.

26. Circuit du médicament à l'hôpital

L'ensemble des médicaments à l'hôpital est géré par la pharmacie à usage intérieur (PUI) conformément aux missions obligatoires. La gestion inclut l'achat, le stockage, la préparation si nécessaire, la dispensation, ainsi que le rappel de lot. Le pharmacien est garant de la qualité des médicaments utilisés à l'hôpital. En d'autres termes, il se doit de contrôler les conditions d'utilisation, de stockage, et de préparation des médicaments et d'apporter toutes informations utiles chaque fois qu'il est nécessaire.

Livret thérapeutique

Le livret thérapeutique liste **l'ensemble des médicaments disponibles sur l'hôpital** en fonction des pathologies et des spécialités représentées au sein de l'hôpital. Chaque médecin est amené à prescrire des médicaments sur la base de cette liste. Le comité du médicament (COMED) : ce comité, rattaché à la commission médicale de l'établissement (CME), a pour mission **d'élaborer le livret thérapeutique et de cadrer le bon usage des médicaments** en fonction de critères qualitatifs. Les membres du comité sont des médecins, pharmaciens, directeurs adjoints (direction des soins, direction de la politique médicale, etc.). Lorsqu'il inclut les dispositifs médicaux stériles, il est appelé « commission du médicament et des dispositifs médicaux stériles » (COMEDIMS).

Catégorie de médicaments

Tableau 52. **Conditions de dispensation des médicaments.**

Médicaments	Zone de stockage	Préparation	Dispensation*
Stupéfiants	Coffre à stupéfiants	–	Nominative ou globale et contradictoire
Cytotoxiques	Zone des cytotoxiques	Isolateurs	Nominative
Médicaments dérivés du sang (MDS)	Zone MDS	–	Nominative et justification de prescription
Médicaments T2A	Stockeur	–	Nominative et Justification de prescription
Autres médicaments des listes I et II	Stockeur	–	Globale ou nominative

* Certains médicaments bénéficient d'une dispensation globale à partir d'une liste de dotation.

Étapes du circuit du médicament

1. **Commande externe** : la pharmacie commande les médicaments directement au fabricant (95 %) ou à un grossiste-répartiteur selon une fréquence et des besoins ponctuels afin d'assurer son **réapprovisionnement**.

2. **Commande interne** : les services commandent des médicaments à la pharmacie à partir d'une liste de dotation préalablement définie, ou à partir d'un bon d'urgence pour pallier un besoin ponctuel à caractère urgent. Ces commandes sont effectuées le plus souvent au moyen d'un système informatisé.

3. **Stockage** : en fonction du statut du médicament, les médicaments sont stockés et rangés de manière ordonnée dans la zone appropriée. Les zones de stockage doivent **assurer la conservation appropriée du médicament**. Une PUI détient donc à sa disposition des coffres, des chambres froides, des réfrigérateurs, des stockeurs, des étagères. L'entrée d'une pharmacie est contrôlée et sécurisée. Les armoires à pharmacie présentes dans les services constituent les structures de stockage décentralisées. Celles-ci sont réapprovisionnées par l'équipe de la pharmacie.

4. **Préparation** : certains médicaments tels que les cytotoxiques, sont soumis à préparation centralisée sous isolateurs en zone de production afin d'assurer à la fois une préparation qualitative pour le patient et une protection pour le personnel. D'autres préparations sont effectuées «au chevet du patient».

5. **Prescription** : deux modes de prescriptions coexistent : la prescription sur support papier et la prescription sur support informatique. Cette dernière se répand davantage du fait d'une diminution du risque d'erreurs évitables.

6. **Dispensation** : deux modes de dispensation sont possibles : la dispensation nominative à partir d'une ordonnance adaptée en fonction du médicament prescrit (ex. : ordonnance sécurisée pour les stupéfiants). La dispensation globale qui consiste à mettre des médicaments à disposition du service sur la base d'une liste (dotation) définie par accord entre le chef de service et le pharmacien.

7. **Administration** : l'acte d'administration est un acte infirmier et réservé à un personnel compétent. Il existe un plan d'administration dans chaque dossier de patient. Ce plan peut être sur support papier ou sur support informatique. Cette étape est soumise aux bonnes pratiques d'administration.

8. **Élimination** : les médicaments périmés, ou partiellement utilisés doivent être systématiquement retirés du circuit. L'acte d'élimination

est le fait de jeter les médicaments concernés dans les contenants appropriés (poubelle de récupération des déchets cytotoxiques ou non et poubelle DASRI). La destruction totale (incinération) doit être effectuée par une structure labélisée capable de traiter les déchets chimiques et biologiques. Les médicaments subissant un retrait de lot sont également détruits après traçabilité.

Actes particuliers

Préparations

- **Préparation magistrale** : préparation réalisée selon une prescription nominative pour un patient donné. Les préparations magistrales sont effectuées à la pharmacie sous le contrôle du pharmacien.
- **Préparation hospitalière** : préparation réalisée selon la pharmacopée européenne ou française, en petite série, sous réserve d'une autorisation préalable émanant de l'ANSM. Ces préparations sont disponibles qu'à partir d'une ordonnance médicale. Les préparations hospitalières sont effectuées à la pharmacie (PUI) sous le contrôle du pharmacien.
- **Préparation au chevet du patient** : préparation effectuée selon les indications mentionnées dans la monographie du médicament nécessaire à sa bonne administration. Il s'agit le plus souvent de reconstitution ou de dilution dans des solvants pour perfusions. Les préparations injectables doivent toujours être réalisées dans des conditions d'asepsies strictes.

Dispensations

- **Dispensation centralisée** : l'acte de dispensation s'effectue au niveau de la pharmacie de l'hôpital à partir d'une ordonnance ou d'un bon d'urgence et d'une liste de dotation pour les médicaments inscrits sur la liste de dotation.
- **Dispensation décentralisée** : l'acte de dispensation s'effectue dans les services à partir d'un automate sécurisé ou une armoire sécurisée à accès limitée dont la gestion est entièrement confiée à l'équipe pharmaceutique. Le réapprovisionnement est assuré par les préparateurs.
- **Dispensation journalière individuelle et nominative (DJIN)** : ce processus de dispensation inclut une validation pharmaceutique puis une préparation journalière du traitement de chaque patient sous forme de bacs ou de pochettes individualisées. Les préparations nominatives sont ensuite transmises à l'IDE pour administration selon le plan d'administration.

Semestre 5

- **Dispensation des stupéfiants** : à partir d'une liste de dotation préalablement déterminée ou d'une ordonnance nominative sécurisée, la dispensation s'effectue selon un **mode contradictoire** entre le préparateur et le cadre infirmier.
- **Dispensation des médicaments T2A** : la dispensation de ces médicaments doit s'effectuer à partir d'une ordonnance de justification de prescription où l'on retrouve l'ensemble des indications retenues ou non pour le médicament concerné. Le prescripteur devra cocher l'indication pertinente retenue. Le pharmacien, en fonction de l'indication cochée délivrera ou non le médicament.
- **Dispensation des médicaments cytotoxiques** : circuit de prescription/validation pharmaceutique/accord équipe médicale (OK chimio), nominatif généralement informatisé permettant la préparation puis le contrôle qualitatif et quantitatif de la préparation destinée à un patient donné. La préparation est ensuite acheminée au service pour administration.

Conditionnements et détention

- **Conditionnement unitaire** : correspond à une présentation appropriée d'un médicament sous forme d'unité de prise à administrer au patient. Le conditionnement unitaire doit contenir les mentions légales nécessaires à l'identification totale du médicament (DCI, dosage, forme, date de péremption, etc.). Ces médicaments peuvent être déconditionnés si leur emballage satisfait à une identification totale.
- **Conditionnement multidoses** : correspond à une présentation d'un médicament renfermant plusieurs doses. Ces médicaments sont généralement accompagnés de mesurettes, gobelets doseurs ou seringues graduées. Les informations relatives au médicament ne sont inscrites que sur le contenant-mère. Les systèmes doseurs sont spécifiques d'un médicament.

Conditions de détention des médicaments

Tous les médicaments doivent être rangés dans des zones appropriées avec accès limité afin de prévenir tout mésusage. Le stockage et le rangement doivent être dotés d'un dispositif de sécurité : armoires sécurisées, automates de distribution décentralisés, coffres fermés à clef. Les zones tempérées doivent faire l'objet d'un contrôle régulier pour éviter la rupture de la chaîne du froid.

Le rangement des médicaments en conditionnement unitaire doit être ordonné et régulièrement contrôlé afin de limiter les erreurs d'administration.

Les médicaments sont conservés selon les indications du fabricant. La stabilité des préparations dépend de nombreux paramètres : température, lumière, compatibilité avec d'autres constituants ou solvants. Toutes les préparations doivent être conservées selon les modalités de manipulation décrites dans les monographies du médicament, dans les notices jointes ou les protocoles établis par la pharmacie. Les préparations à utilisation extemporanée ne doivent jamais être stockées.

Circuit du médicament, l'affaire de tous

Toute personne impliquée dans le rangement, le stockage, la livraison, la prescription, la dispensation, l'administration ou l'éducation lié à l'utilisation des médicaments est concerné par le circuit du médicament ainsi que la politique du **bon usage** mis en œuvre pour assurer la sécurité et diminuer les risques iatrogènes.

L'IDE est assisté par l'aide-soignant ou l'auxiliaire puéricultrice dont leurs missions et leurs tâches sont sous la responsabilité entière de l'IDE. Certaines tâches peuvent être déléguées mais l'IDE doit toujours aviser la requête demandée. Concernant l'administration de médicaments, les aides-soignants ne doivent en aucun cas se substituer aux soignants.

27. Autres moyens thérapeutiques

La prise en charge de nombreuses pathologies nécessite non seulement un traitement médicamenteux mais aussi un (ou des) traitement(s) non médicamenteux telles la chirurgie, la radiothérapie, la radiologie interventionnelle, la psychothérapie, la rééducation fonctionnelle, etc.

Nous allons aborder la place de ces moyens thérapeutiques.

Chirurgie

La chirurgie est une technique qui, par incision des tissus, permet d'accéder à un organe dans le but de le soigner.

L'environnement pharmacologique autour de la chirurgie est essentiel. À titre d'exemples :

- les **antibiotiques** permettent de réduire les infections postopératoires. L'antibioprophylaxie consiste à injecter un antibiotique juste avant de commencer l'anesthésie. Le choix de l'antibiotique dépend de l'acte chirurgical et du risque infectieux associé ;
- les **anesthésiques** sont indispensables pour permettre la perte de conscience et de sensibilité du patient pendant l'opération ;
- les **anticoagulants** permettent de prévenir la survenue de thrombose pendant l'opération et les jours suivants. Le choix du traitement anticoagulant et la durée du traitement dépendent du type de chirurgie et du contexte clinique.

Quelques définitions :

- **chirurgie par laparotomie** : il s'agit d'une ouverture de l'abdomen par une incision, ce qui permet ensuite d'accéder aux autres organes ;
- **cœliochirurgie** : c'est une chirurgie où il est réalisé plusieurs mini-incisions dont une a pour but d'introduire une caméra dans l'organisme. Les autres mini-incisions permettent d'introduire les instruments nécessaires. La cœliochirurgie est surtout utilisée pour réaliser de la chirurgie sur les viscères et de la chirurgie gynécologique ;
- **chirurgie ambulatoire** : il s'agit d'une chirurgie qui nécessite une seule journée d'hospitalisation. Ex. : chirurgie de la cataracte, pose d'une chambre à cathéter implantable (il s'agit d'un réservoir couplé

à un cathéter qui permet l'injection des chimiothérapies anticancéreuses par voie intraveineuse, l'administration de la nutrition parentérale, etc.). Depuis 2–3 ans, certains établissements hospitaliers proposent, à des patients très ciblés, la pose de prothèse de hanche en ambulatoire (patient arrivant le matin et repartant le soir). Si la pose d'une prothèse de hanche en ambulatoire reste pour l'instant exceptionnel, le développement de la chirurgie ambulatoire dans son ensemble est permanent.

Radiothérapie

La radiothérapie est un traitement locorégional utilisable dans de nombreux cancers dont les cancers du sein, les cancers gynécologiques (utérus, col de l'utérus, etc.), les cancers ORL, certains cancers digestifs (rectum, côlon, etc.). Ce traitement est généralement associé à un geste chirurgical et/ou de la chimiothérapie.

Il faut distinguer deux techniques de radiothérapie :
- la **radiothérapie externe** : cette radiothérapie est dite transcutanée car les rayons traversent la peau pour atteindre la tumeur. La source radioactive est donc placée à l'extérieur du patient ;
- la **curiethérapie** : cette technique consiste à mettre en place, de façon temporaire ou permanente, des sources radioactives au contact direct de la zone à traiter.

Dans les deux cas les rayonnements émis par la source radioactive vont détruire l'ADN des cellules cancéreuses, mais aussi des cellules saines à proximité des cellules cancéreuses. L'altération de l'ADN conduit à la mort cellulaire. La difficulté de la radiothérapie est d'apporter la dose optimale de rayonnements et ceci avec la plus grande précision sur le volume de la tumeur.

La radiothérapie permet, en fonction du type de cancer et de son évolution, d'effectuer :
- un **traitement curatif** du cancer : l'intégralité des cellules cancéreuses sera détruite ;
- un **traitement palliatif** ou symptomatique du cancer : la radiothérapie permet de réduire les symptômes et de freiner la progression de la tumeur.

Radiologie interventionnelle

C'est l'utilisation des techniques de guidage par imagerie à but thérapeutique. La radiologie interventionnelle est une alternative à la chirurgie.

Les principaux avantages de la radiologie interventionnelle sur la chirurgie sont généralement : une durée d'hospitalisation plus courte, une anesthésie moins longue et parfois uniquement de type local, un délai de récupération plus court, etc. Cependant, toutes les interventions chirurgicales ne sont pas réalisables en radiologie interventionnelle et le bénéfice clinique n'est pas forcément le même entre ces deux approches.

Ex. : un patient souffrant d'un angor peut être traité pour la sténose d'une artère coronaire par chirurgie (pontage aortocoronaire) ou, si les caractéristiques de la sténose le permettent, par cardiologie interventionnelle.

Psychothérapie

La psychothérapie est un moyen thérapeutique complémentaire des traitements pharmacologiques pour prendre en charge la dépression sévère, la toxicomanie, les phobies, les troubles anxieux, etc.

Il existe différents types de psychothérapie telle la psychothérapie psychanalytique, la thérapie cognitivocomportementale, etc. et leurs approches sont différentes.

Dans tous les cas le patient doit être actif et volontaire dans cette prise en charge.

Rééducation fonctionnelle

Les objectifs de la rééducation fonctionnelle sont d'aider le patient à récupérer ses capacités fonctionnelles, de le rendre autonome à son environnement en vue de lui permettre une réinsertion familiale et/ou professionnelle.

Les atteintes de l'appareil locomoteur bénéficient largement de la rééducation qu'elles aient été traitées chirurgicalement ou non : arthrose, fracture, amputation, etc.

La rééducation cardiovasculaire est nécessaire à de nombreux patients ayant eu par exemple un pontage aortocoronaire dans le but de récupérer et améliorer leurs capacités physiques, de mieux contrôler leurs facteurs de risque (cholestérol, tabac, etc.) et donc d'améliorer leur qualité de vie.

28. Mise sur le marché des médicaments et des dispositifs médicaux, essais thérapeutiques, génériques

Médicaments

Autorisation de mise sur le marché (AMM)

Tous médicaments ou substances présentés comme telles doivent avoir une **AMM** (directive 2001/83/CE et 2004/27/CE). Cette AMM correspond à un numéro d'enregistrement. Il est inscrit sur l'emballage secondaire du médicament.

La seule autorité à accorder l'AMM au niveau national en France est l'**Agence nationale de sécurité du médicament (ANSM)**. Elle peut néanmoins être accordée par l'**Agence européenne du médicament (EMA)** *via* d'autres procédures conformément aux règles communautaires.

Il existe quatre procédures regroupées en deux grandes catégories : les procédures communautaires de demande d'AMM et les procédures limitées au territoire national.

- Procédures communautaires :
  - procédure centralisée : **AMM unique délivrée par l'EMA** valable dans tous les états-membres de l'Union européenne ;
  - procédure décentralisée : vise à obtenir une **AMM simultanément dans plusieurs États membres** ;
  - procédure de reconnaissance mutuelle : vise à obtenir une **AMM identique dans plusieurs États membre** à partir d'une AMM octroyée dans un État membre de référence.
- Procédure limitée au territoire national.
- Procédure nationale : vise à obtenir une **AMM nationale** valable que sur le territoire concerné.

La **demande d'AMM** est effectuée par le fabricant sur la base d'études précliniques et d'études cliniques visant à déterminer **tolérance, innocuité et efficacité dans les indications proposées**. Le dossier est analysé et expertisé l'autorité compétente (EMA ou ANSM).

L'AMM a une durée de validité de 5 ans renouvelables par période quinquennale.

Modifications de l'AMM : toute modification du résumé des caractéristiques du produit (RCP) entraîne une modification de l'AMM. Cinq catégories de modification existent :
- modification mineure type IA ;
- modification mineure type IB ;
- modification majeure type II ;
- extension d'AMM ;
- restriction urgente pour des raisons de sécurité.

Les modifications majeures par opposition aux modifications mineures, regroupent toute modification susceptible d'impacter sur la qualité, l'efficacité et la sécurité du médicament. Les mesures de restrictions concernent tout élément nouveau relatif à la sécurité d'utilisation du médicament.

Autorisation temporaire d'utilisation (ATU)

L'ATU est la **mise à disposition particulière et temporaire** (durée de temps limité), délivrée par l'ANSM, de médicaments n'ayant pas d'AMM, sur la base d'études cliniques avancées et d'articles scientifiques de niveau élevé.

Cette procédure permet la prise en charge médicamenteuse de pathologies pour lesquelles aucune alternative thérapeutique n'est disponible **et** qu'il existe un bénéfice réel pour le patient.
- ATU **nominative** : ATU accordée à un patient et pour une durée limitée à partir d'un argumentaire médical soulignant la nécessité du traitement pour le patient.
- ATU dite « **de cohorte** » : ATU accordée à un fabricant de durée limitée généralement à un an à partir d'un dossier clinique favorable et à la condition que le fabricant s'engage à demander une AMM. Cet ATU concerne un groupe de patients.

Dans les deux cas, seul l'ANSM définit le cadre juridique d'utilisation du médicament.

Protocole d'utilisation thérapeutique et de recueil d'information (PTU)

Il s'agit d'une procédure de surveillance permettant de recueillir des informations relatives à l'efficacité, à l'utilisation et aux effets indésirables, ainsi que le suivi des patients traités.

Surveillance renforcée

Certains médicaments font l'objet d'une **surveillance renforcée** au niveau national et/ou européen. Elle s'applique systématiquement lorsque le médicament :

- contient un nouveau principe actif autorisé ;
- contient une substance biologique (MDS, vaccins) ;
- est soumis à une autorisation conditionnelle (données complémentaires requises) ;
- requiert des informations relatives à l'utilisation prolongée (nécessairement post-AMM).

Ces médicaments sont identifiables par un pictogramme (triangle inversé noir) visible sur la notice ou le RCP. L'efficacité du traitement n'est pas remise en cause et les patients traités peuvent sans crainte continuer leur traitement.

Plan de gestion de risque (PGR) : il s'agit d'une procédure visant à surveiller les médicaments récemment mis sur le marché, après identification d'un risque important, ou tout changement significatif du RCP (nouvelle indication, posologie, voie d'administration, etc.).

Dispositifs médicaux

▌ Mise sur le marché des dispositifs médicaux

La mise sur le marché de tous dispositifs médicaux (DM) est subordonnée au marquage CE. Tous les DM déclarés comme tels doivent être conformes à la directive 93/42 CEE modifiée par la directive 2007/47 CEE avant leur mise sur le marché. Le fabricant endosse l'entière responsabilité du marquage CE et doit se soumettre à la mise en conformité détaillée dans ces directives du DM qu'il fabrique.

Les DM appartenant à la classe III et les dispositifs médicaux implantables (DMI) doivent conformément à la directive 2007/47 CEE effectuer des essais cliniques afin de prouver leur efficacité (applicable depuis mars 2010).

Les structures sanitaires, établissements de santé, cabinets médicaux et paramédicaux, pharmacies doivent obligatoirement faire l'usage de DM marqués CE et avoir la notice, ainsi que la fiche technique de chaque DM qu'ils utilisent ou qu'ils vendent.

Il existe toutefois des dérogations particulières permettant l'utilisation de DMI sans marquage CE : les dispositifs médicaux fabriqués sur mesure conforme à la procédure de la directive 93/42/CEE sans marquage CE sont utilisables.

▌ Différents types de dispositifs médicaux

- **Dispositifs non stériles :** dispositifs mis sur le marché sans processus de stérilisation destiné à être utilisé tels quels ou destinés à être stérilisé selon les recommandations du fabricant.
- **Dispositifs stériles à usage unique :** dispositifs non réutilisable destinés à être utilisé une seule fois et à patient unique. Le procédé de

fabrication inclut une étape de stérilisation. Il est estampillé d'un deux barré inscrit dans un cercle.

- **Dispositifs stériles à usage multiple** : dispositifs généralement chirurgicaux réutilisables après un processus de stérilisation assuré par une stérilisation centrale.
- **Dispositifs médicaux implantables** : sont des **dispositifs stériles et à usage unique** invasifs destinés à être implanté chez l'homme. On distingue :
  - les **DMI temporaires** : sont destinés à être utilisés durant moins de 60 minutes en continu ;
  - les **DMI à court terme** : destinés à être utilisés durant moins de 30 jours en continu ;
  - les **DMI à long terme** : destinées à être utilisés durant plus de 30 jours.
- **Dispositifs invasifs** : sont destinés à pénétrer tout ou partie du corps humain à travers la surface corporelle ou par un orifice.
- **Dispositifs médicaux actifs (DMIA)** : se dit d'un dispositif médical nécessitant une source d'énergie sous quelle forme que ce soit pour son fonctionnement.
- **Logiciels et applications mobiles en santé** : il s'agit de DM s'ils ont une finalité médicale telle que le diagnostic (aide comprise), et sont soumis à la réglementation du marquage CE.

▶ Classes des dispositifs médicaux

La liste de la composition des classes n'est pas exhaustive et est donnée à titre indicatif.

Classe I

- DM non invasifs sans fonction de transports ou de stockage de liquides corporels en vue d'une administration ou perfusion.
- DM invasifs non raccordés à un DM actif.
- DM invasifs temporaires.
- Instruments chirurgicaux réutilisables.

Les DM de classe I peuvent faire l'objet d'une procédure d'autocertification de conformité à la directive 93/42 CEE.

Classe IIa

- DM non invasifs avec fonction transports ou de stockage de liquides corporels en vue d'une administration ou d'une perfusion.
- DM non invasifs raccordés à un DM actif de classe IIa ou supérieur.
- DM invasifs à court terme.

Classe IIb

- DM non invasifs destinés à modifier la composition chimique ou biologique des fluides corporels destinés à être perfusé dans le corps humain.
- DM invasifs destinés à fournir de l'énergie sous forme de rayonnement ionisant.

Classe III

- DM invasifs sauf ceux des classes IIa et IIb.
- DM du cœur invasif ou non (contrôle, diagnostic, surveillance de la fonction cardiaque).
- DM en contact direct avec le système nerveux.

Marquage CE

Tout dispositif médical (DM) doit avoir un marquage CE conformément à la directive européenne 2007/47 CEE modifiant la directive 93/42 CEE. Le marquage CE est attribué par un organisme notifié indépendant du fabricant. Cet organisme vérifie les normes définies par la directive notamment le système assurance qualité de production et de fabrication.

Chaque emballage individuel d'un DM reprend le nom du dispositif médical, un numéro de lot, une date d'expiration, un marquage CE standard, ainsi que le numéro de l'organisme de notification (0459 pour le LNE en France).

Chaque référence de DM contient une fiche technique rapportant des informations de fabrication, de modalités de stérilisation, et la classe du DM.

Essais cliniques

Définition

Un essai clinique est un essai thérapeutique réalisé sur l'être humain destiné à évaluer un candidat-médicament. Il est divisé en quatre phases. L'être humain doit être un volontaire (malade ou sain) et doit donner son consentement dit **consentement éclairé** avant de participer à tout essai. Les essais cliniques sont encadrés par la **loi Huriet**, les **accords d'Helsinki** et la **loi Jardé**.

L'autorisation d'essais cliniques est accordée par l'ANSM concernant le plan pharmaceutique et médical et par le **Comité de protection des personnes** (CPP) concernant le plan éthique.

Objectifs

Les essais cliniques ont pour but en premier lieu de s'assurer de **l'inno-cuité et de la tolérance d'un médicament** et en second lieu de démontrer l'**efficacité du traitement** face à une pathologie. L'outil de démonstration est statistique et s'appuie sur des critères cliniques et biologiques.

Quatre phases

- **Phase I :** phase de **titration** chez le patient saint. Il s'agit de recueillir des données toxicologiques, pharmacocinétiques et de tolérance par augmentation graduelle de la dose.
- **Phase II :** phase d'étude de posologie et de **relation dose-effet** chez le patient malade. L'objectif est de cibler la zone de la marge thérapeutique.
- **Phase III :** phase d'étude de l'**efficacité du traitement** chez des patients ciblés atteints d'une pathologie. La dose est fixée et un schéma thérapeutique est testé.
- **Phase IV :** phase post-AMM. Elle vise à **surveiller** les effets indésirables non détectés auparavant et à **mesurer** l'efficacité d'un médicament à **plus grande échelle**.

Méthodologie

Le cas le plus courant consiste en une comparaison entre deux stratégies thérapeutiques chez deux groupes homogènes de patients atteints d'une pathologie donnée. L'hypothèse d'une non-infériorité ou d'une supériorité d'une stratégie par rapport à l'autre sera vérifiée statistiquement à partir de critères d'évaluations cliniques définis. On parle de différence statistiquement significative.

Intérêts des études cliniques

Les études cliniques sont nécessaires et précèdent toujours la mise sur le marché d'un médicament lequel doit satisfaire un certain nombre de critères afin, d'une part, de ne pas mettre en danger les utilisateurs et les patients et, d'autre part, d'apporter un bénéfice aux patients face à certaines pathologies.

Ils constituent également dans une certaine mesure la mise à disposition de traitements pour certaines pathologies lorsque ceux-ci ne sont pas encore disponibles sur le marché à la seule condition qu'ils apportent un réel bénéfice prouvé par des travaux cliniques avancés (étrangers par exemple) et que d'autres recours ne sont pas possibles.

Mini-glossaire propre aux essais cliniques

- **ARC** : attaché de recherche clinique indispensable au contrôle qualitatif et quantitatif des données cliniques et pharmaceutiques le long de l'essai.
- **Brochure de l'investigateur** : document d'information destiné aux investigateurs de l'étude reprenant les informations sur le candidat médicament notamment les études précliniques et études antérieures.
- **Cahier d'observation** : cahier de recueil des informations cliniques et biologiques des patients participant à l'étude.
- **Candidat-médicament** : substance à l'essai.
- **Consentement éclairé** : document signé du volontaire s'engageant à la prise de connaissance et à la compréhension des objectifs et des risques de l'étude clinique. Il ne s'agit pas d'un contrat obligeant le volontaire à finir l'étude. Tout volontaire est libre d'arrêter l'étude en cours sans aucune contrepartie.
- **Critères d'inclusion ou d'exclusions** : critères définissant la population de personnes recherchées pour l'étude.
- **En aveugle** : sans connaissance du traitement attribué : placebo ou candidat médicament.
- **Investigateur** : médecin spécialisé participant au relevé et à l'évaluation clinique des patients inclus dans le protocole.
- **Levée d'aveugle (ou levée d'insu)** : procédure de recueil des données du candidat-médicament. Elle s'effectue en général à la fin de l'étude clinique ou en cas d'effets indésirables graves.
- **Multicentrique** : sur plusieurs sites participant à l'étude.
- **Promoteur** : personne morale ou entière à l'origine de l'étude clinique.
- **Protocole** : rédaction de l'étude clinique reprenant en détail la description et le déroulement de l'étude clinique.
- **Randomisation** : répartition des patients dans les groupes d'étude réalisée de manière aléatoire.

Autres études thérapeutiques

Études médicotechniques ou médicopharmaceutiques : l'objectif est de comparer des stratégies thérapeutiques ou des pratiques professionnelles en incluant le caractère économique à plus ou moins long terme.

Registres nationaux : enquête d'évaluation de pratiques thérapeutiques à l'échelle nationale. Ces registres sont gérés par la direction générale de l'offre de soins (DGOS). Ils consistent en un regroupement de plusieurs centres participant qui doivent répondre aux critères retenus pour évaluation.

Génériques

- **Définition :** on entend par générique tout médicament présentant les mêmes propriétés pharmacologiques et pharmacocinétiques que les médicaments d'origine, appelés princeps, dont ils sont la copie. Les génériques doivent avoir une **biodisponibilité identique** au princeps. En outre, ils doivent avoir la même formulation galénique que le princeps. Ils restent, comme tout médicament, **soumis à la procédure de demande d'autorisation de mise sur le marché**.
- **Modalités d'exploitation :** les entreprises fabriquant des génériques ont le droit de copier une substance chimique dès lors que celle-ci tombe dans le domaine publique, c'est-à-dire qu'elle n'est plus la propriété exclusive du fabricant d'origine. Les substances découvertes étant toujours protégées par un brevet.
- **Nom commercial :** les génériques sont dénués de nom commercial mais doivent porter la **dénomination commune internationale** de la substance qu'ils contiennent.
- **Intérêts des génériques :** l'intérêt majeur repose sur le **coût moins élevé du générique** engendrant une économie non négligeable. Les *génériqueurs* n'ont pas les frais relatifs à la découverte, aux études précliniques et cliniques, et au brevet.
- **Différences majeures :** il existe **aucunes différences entre le générique et le princeps quant à l'efficacité du traitement.** La seule différence pourrait provenir des excipients notamment les excipients à effet notoire.

Biosimilaires

- **Définition (ANSM, 2016) :** un médicament biosimilaire est un médicament biologique de même composition qualitative et quantitative en substance active et de même forme pharmaceutique qu'un médicament biologique de référence mais qui ne remplit pas les conditions pour être regardé comme une spécialité générique en raison de différences liées notamment à la variabilité de la matière première ou aux procédés de fabrication et nécessitant que soient produites des données précliniques et cliniques supplémentaires dans des conditions déterminées par voie règlementaire (article L.5121-1 15 du Code de la santé publique). La directive 2004/24/CE modifiant la directive 2001/83/CE instituant un code communautaire relatif aux médicaments, stipule que «Lorsqu'un médicament biologique ne remplit pas toutes les conditions pour être considéré comme un médicament générique, les résultats d'essais appropriés devraient être fournis afin de satisfaire aux conditions relatives à la sécurité (essais précliniques) ou à l'efficacité (essais cliniques), ou aux deux ».

- **Différence avec les génériques** : les principes actifs des médicaments biosimilaires sont d'origine biologique. Leur fabrication implique des procédés biotechnologiques complexes incluant des mécanismes de biosynthèse. Cela aboutit à des principes actifs très sophistiqués et très complexes.
- **Intérêts des biosimilaires** : l'objectif principal est d'abaisser le prix de vente de ces types de principes actifs an élargissant la concurrence dès lors que le brevet tombe dans le domaine public.
- **Exemples de biosimilaires** : anticorps monoclonaux (*Inflectra* est un biosimilaire du *Remicade* [infliximab], insulines [*Abasaglar* est un biosimilaire de *Lantus*], médicaments dérivés du sang recombinés [*Nivestim* et *Zarzio* sont deux biosimilaires du *Neupogen* (filgrastim)], *Binocrit* et *Retacrit* sont deux biosimilaires de *Eprex* [époétine]), vaccins, etc.

PARTIE 4

Auto-
évaluez-vous !

1) Entraînez-vous avec des QCM

Consignes : une ou plusieurs réponses sont attendues pour l'ensemble des questions.

Fiche 1

QCM 1.
La liaison covalente est une liaison chimique :
- ☐ a) Forte
- ☐ b) Faible
- ☐ c) Ionique
- ☐ d) À pont hydrogène

QCM 2.
La molécule d'acide désoxyribonucléique (ADN) est une molécule :
- ☐ a) Complexe
- ☐ b) À liaisons covalentes
- ☐ c) À liaisons H
- ☐ d) Lipophile

QCM 3.
L'aspirine en comprimé effervescent contient de l'acide acétylsalicy-lique. Les propriétés de cet acide sont :
- ☐ a) Un acide fort
- ☐ b) Un acide faible
- ☐ c) Une base forte
- ☐ d) Une base faible

QCM 4.
Un principe actif lipophile est :
- ☐ a) Facilement soluble dans les milieux aqueux
- ☐ b) Passe la barrière hématoméningée
- ☐ c) Amphiphile
- ☐ d) Est solvaté par les molécules lipidiques

QCM 5.
Que signifie solution de *Célestène* (β-méthasone) 0,05 % ?
- ☐ a) 0,05 g de β-méthasone pour 100 L de solution
- ☐ b) 0,05 g de β-méthasone pour 100 mL de solution
- ☐ c) 0,5 mg de β-méthasone pour 1 mL de solution
- ☐ d) 50 mg de β-méthasone pour 100 mL

Fiche 2

QCM 6.

Le ou lesquels des principes actifs suivants sont inducteurs enzymatiques du cytochrome P450 ?

☐ a) Rifampicine
☐ b) Acide valproïque
☐ c) Carbamazépine
☐ d) Antifungiques azolés (fluconazole, etc.)
☐ e) Paracétamol
☐ f) les AINS

Fiche 3

QCM 7.

La pharmacodynamie est une branche de la pharmacologie qui étudie :

☐ a) Le volume de distribution du principe actif
☐ b) Les effets du principe actif
☐ c) Le temps de demi-vie
☐ d) Les mécanismes moléculaires du principe actif

QCM 8.

L'effet pharmacologique d'un médicament peut être :

☐ a) Mesurable
☐ b) Non mesurable
☐ c) Binaire (tout ou rien)
☐ d) Uniquement mesurable

QCM 9.

Un agoniste partiel correspond à une substance :

☐ a) Dont la réponse pharmacologique est nulle
☐ b) Dont la réponse pharmacologique est identique à celle de la substance endogène
☐ c) Dont la réponse pharmacologique est inférieure à celle d'un agoniste pur
☐ d) Ayant une constante de dissociation plus faible que l'agoniste pur

Fiche 5

QCM 10.

Un médecin prescrit un antibiotique, le céfépime à 100 mg/kg/ j en 3 fois (toutes les 8 heures) en IVSE dans le cadre d'une ostéite chez un patient de 60 kg, à fonction rénale normale. Le médicament disponible est une poudre contenant 1 g de céfépime. Le protocole du service précise que la concentration maximale de la préparation doit être de 100 mg/mL. Quelles sont affirmations justes?

☐ a) La préparation est une dilution
☐ b) La concentration maximale autorisée est de 1 g dans 10 mL
☐ c) N'importe quel diluant peut être utilisé pour la préparation
☐ d) Une seringue de 50 mL peut être préparée toutes les 8 heures
☐ e) Il faut 7 flacons de céfépime pour effectuer la préparation

Fiche 6

QCM 11.
Effets indésirables des médicaments :

☐ a) Dans la balance bénéfices/risques, le risque est un risque accepté
☐ b) Une hospitalisation prolongée due à un médicament est effet indésirable grave
☐ c) La néphrotoxicité et l'hépatotoxicité sont les seuls effets indésirables des médicaments
☐ d) Un effet indésirable est dit très fréquent si son incidence est comprise entre 1 et 10 %

QCM 12.
Erreurs médicamenteuses et médicaments à risque :

☐ a) L'iatrogénie concerne uniquement les erreurs de diagnostic
☐ b) Les erreurs de méconnaissance sont des erreurs par omission
☐ c) Tous les médicaments sont à risque
☐ d) Quelques médicaments sont à risque
☐ e) Les insulines et les solutés hypertoniques sont particulièrement à risque

QCM 13.
Mesures de lutte contre les erreurs médicamenteuses :

☐ a) Le CBU inclut des mesures de lutte contre les erreurs médicamenteuses
☐ b) Le CREX (comité de retour d'expérience) joue un rôle aussi important que le COMED (comité du médicament) dans la lutte contre l'iatrogénie
☐ c) Les centres de pharmacovigilance gèrent les plans de gestion des risques
☐ d) L'INCa évalue l'intérêt des produits de santé, émet et diffuse des recommandations sur les traitements
☐ e) L'INCa récence et analyse et informe les données liées à la cancérologie

Fiche 7

QCM 14.

Parmi ces affirmations, lesquelles sont vraies :

☐ a) L'asthme est une maladie chronique

☐ b) Le volume expiratoire minimal est un critère de diagnostic

☐ c) Les corticoïdes constituent le traitement de fond

☐ d) Les agonistes β-2 mimétiques peuvent permettent de traiter une crise d'asthme

QCM 15.

L'exacerbation modérée est :

☐ a) Une crise d'asthme qui peut être grave

☐ b) Traitée par les anticorps monoclonaux antiasthmatiques

☐ c) Traitée par les agonistes β2 mimétiques à forte dose

☐ d) Traitée par le cromoglicate

QCM 16.

La voie d'administration la plus courante des médicaments de l'asthme est :

☐ a) L'inhalation

☐ b) La voie orale

☐ c) La perfusion IV

☐ d) La voie sous-cutanée

Fiche 8

QCM 17.

Quels antibiotiques sont contre-indiqués à une exposition au soleil sans protection ?

☐ a) Sulfamides

☐ b) Pénicilline

☐ c) Aminoside

☐ d) Fluoroquinolone

☐ e) Rifampicine

QCM 18.

Citez les réponses exactes :

☐ a) Les anticorps monoclonaux font partie des agents cytotoxiques

☐ b) Les agents cytotoxiques sont contre-indiqués en cas de grossesse

☐ c) Les effets sur la peau et les muqueuses sont peu importants avec les agents cytotoxiques

☐ d) La stratégie des protocoles de chimiothérapies est une action synergique

QCM 19.

Les mécanismes d'action : cocher les affirmations justes :

☐ a) Les cytotoxiques inhibiteurs des topo-isomérases bloquent la réplication cellulaire au niveau de l'ADN

☐ b) Les inhibiteurs de tyrosine kinases sont des agents intercalant

☐ c) Certains anticorps monoclonaux ont pour cible des protéines de surfaces telles que les clusters de différenciation (CD)

☐ d) Les inhibiteurs des tyrosines kinases favorisent l'apoptose cellulaire

☐ e) La 5-fluorouracile (5-FU) est un analogue des bases puriques de l'ADN

Fiche 9

QCM 20.

Les antidépresseurs :

☐ a) Sont indiqués uniquement pour le traitement de la dépression

☐ b) Certains antidépresseurs sont indiqués dans le traitement des TOC

☐ c) Le mécanisme d'action des antidépresseurs repose sur l'augmentation de la disponibilité des amines biogènes

☐ d) Entraînent de la tachycardie et des effets anticholinergiques

☐ e) Les antidépresseurs atypiques sont dénués de risque suicidaire

QCM 21.

Les psycholeptiques :

☐ a) Le mécanisme d'action des neuroleptiques renforce l'activité de la dopamine

☐ b) Le mécanisme d'action des neuroleptiques diminue l'activité de la dopamine

☐ c) Certains neuroleptiques peuvent causer une toxicité hématologique

☐ d) L'intervalle QT n'est pas affecté par les neuroleptiques

☐ e) Les benzodiazépines anxiolytiques ont des demi-vies d'élimination de plusieurs jours

☐ f) L'arrêt d'un traitement par benzodiazépine est progressif

QCM 22.

Citer les affirmations fausses :

☐ a) Le diabète de type 1 est un diabète non insulinodépendant

☐ b) Le traitement du diabète de type 1 est l'insuline

☐ c) L'HbA1c est un marqueur du diabète

☐ d) La prévalence du diabète de type 2 est supérieure à celle du diabète de type 1

☐ e) La consommation d'alcool n'a pas d'influence sur le régime du diabétique

QCM 23.
Les IEC sont :
☐ a) Aussi efficace que les antagonistes de l'angiotensine II dans le traitement de l'HTA
☐ b) Sources de toux
☐ c) Indiquées en post-infarctus du myocarde
☐ d) Utilisables lors de la grossesse

QCM 24.
Citez les affirmations vraies :
☐ a) Le paracétamol appartient aux antidouleurs de palier II
☐ b) Certains antiépileptiques sont des antidouleurs
☐ c) La morphine est l'antalgique de référence
☐ d) Les agonistes morphiniques purs sont des opioïdes puissants
☐ e) Le néfopam est un antalgique central opioïde

QCM 25.
Les opioïdes puissants sont :
☐ a) Utiles pour traiter les douleurs légères
☐ b) Nécessaires pour prendre en charge les douleurs rebelles
☐ c) Peuvent entraîner une dépression respiratoire
☐ d) Sont des stupéfiants
☐ e) Agonistes des récepteurs μ

QCM 26.
Les opioïdes légers :
☐ a) Ont une action centrale
☐ b) La constipation est un des effets secondaires les plus récurrents
☐ c) Le tramadol peut souvent entraîner des nausées et vomissements
☐ d) Le mécanisme d'action des opioïdes est une diminution du seuil de perception de la douleur

QCM 27.
Les β-bloquants provoquent souvent l'effet suivant :
☐ a) Une hypotension orthostatique
☐ b) Une hypokaliémie
☐ c) Une hyperglycémie
☐ d) Une sécheresse buccale

QCM 28.

Les β-bloquants :

☐ a) Sont généralement le traitement de première intention lors d'une HTA

☐ b) Ont une action chronotrope positive

☐ c) Sont recommandés chez le diabétique

☐ d) Masquent les signes de l'hypoglycémie

QCM 29.

Les β-bloquants cardiosélectifs :

☐ a) Sont indiqués chez un patient asthmatique en cours de traitement

☐ b) Sont avec «effet rebond»

☐ c) Sont utilisés chez la femme enceinte

☐ d) Sont indiqués chez un patient avec syndrome de Raynaud

Fiche 15

QCM 30.

Citez la ou les information(s) fausse(s) :

☐ a) La pharmacocinétique des médicaments chez l'enfant est la même que chez l'adulte

☐ b) L'âge de l'enfant est à prendre en compte lors de l'administration des médicaments

☐ c) Les antibiotiques quinolones sont contre-indiqués chez l'enfant en croissance

☐ d) Les systèmes doseurs ne sont pas interchangeables entre spécialités pharmaceutiques

☐ e) Les gélules et les comprimés sont des formes peu adaptées aux enfants

Fiche 17

QCM 31.

L'administration infirmière :

☐ a) Est un acte cadré par les bonnes pratiques d'administration

☐ b) Est soumis à une traçabilité

☐ c) Peut-être déléguée à une aide-soignante

☐ d) Doit être conforme aux référentiels de l'établissement

☐ e) Doit être conforme à une prescription médicale

QCM 32.
Signalement et transmission :
☐ a) Tout professionnel de santé est contraint à une déclaration de pharmacovigilance si elle s'impose
☐ b) Les staffs médicaux sont exclusivement destinés au personnel médical
☐ c) Les IDE peuvent constituer un dossier patient paramédical
☐ d) Les IDE sont en mesure de fournir des informations cliniques aux médecins

QCM 33.
Formation : cocher les affirmations vraies :
☐ a) Les procédures d'administration d'un service sont uniquement à titre informatif
☐ b) La formation continue est obligatoire
☐ c) Les connaissances sont uniquement axées sur les dispositifs médicaux
☐ d) Les indications et les posologies usuelles des médicaments sont à connaître

Fiche 19

QCM 34.
Les IDE ont le droit de prescription :
☐ a) De tous les médicaments
☐ b) De certains médicaments après avis médical
☐ c) De certains dispositifs médicaux
☐ d) Après mention particulière sur l'ordonnance pour les contraceptifs oraux

Fiche 21

QCM 35.
Étapes du circuit du médicament :
☐ a) Les médicaments usagés doivent suivre la filière DASRI
☐ b) Les listes de dotations constituent un mode de dispensation des médicaments
☐ c) L'administration des médicaments est un acte exclusivement infirmier
☐ d) Un service de soin peut commander des médicaments à un fabricant
☐ e) Les pharmacies achètent les médicaments uniquement aux grossistes-répartiteurs

Auto-évaluez-vous !

QCM 36.

Actes particuliers :

☐ a) Les préparations magistrales sont des préparations en série

☐ b) Une préparation hospitalière peut être réalisée en grande série

☐ c) Les préparations de cytotoxiques injectables par la PUI peuvent être des préparations magistrales

☐ d) Les IDE sont autorisés à préparer des antibiotiques prescrits pour un patient.

☐ e) La dispensation des stupéfiants est dite contradictoire

QCM 37.

Livret thérapeutique et catégorie de médicaments :

☐ a) Le stockage des médicaments dépend de son statut ou de sa catégorie

☐ b) Le COMED détermine les références du livret thérapeutique

☐ c) Un médicament T2A nécessite une justification de prescription

☐ d) Les médicaments stupéfiants sont rangés avec les autres médicaments de classe I et II

QCM 38.

Quelles sont les bonnes réponses ?

☐ a) Aucun médicament n'est contre-indiqué chez le sujet âgé

☐ b) L'insuffisance rénale est à rechercher chez le sujet âgé avant de prescrire un médicament dont l'élimination se fait principalement par cette voie

☐ c) L'absorption des médicaments n'est pas modifiée chez le sujet âgé

☐ d) Les posologies sont toujours les mêmes que chez le sujet jeune

Fiche 23

QCM 39.

Médicaments : citez les affirmations fausses :

☐ a) Seul l'ANSM attribue une AMM pour un médicament dans l'espace européen

☐ b) Une procédure centralisée permet l'obtention de l'AMM

☐ c) L'ATU de cohorte est attribué par l'ANSM pour tous les patients atteints d'une maladie donnée

☐ d) Le PGR s'applique si un médicament, ayant déjà une AMM, propose une nouvelle indication

☐ e) Un médicament sous surveillance renforcée est un médicament dangereux qu'il faut éviter d'administrer

QCM 40.

Dispositifs médicaux : cocher les affirmations fausses :

☐ a) Les applications destinées à suivre la glycémie en direct ne sont pas des DM

☐ b) Les DMI sont des dispositifs médicaux stériles réutilisables

☐ c) Les DMI sont des dispositifs médicaux stériles à usage unique

☐ d) Le marquage CE est obligatoire pour l'utilisation de tout DMI

☐ e) Un fabricant peut apposer lui-même un marquage CE quelle que soit la classe

QCM 41.

Essais cliniques : cochez les affirmations fausses :

☐ a) L'objectif des essais cliniques est d'évaluer la tolérance et l'efficacité d'un médicament

☐ b) La comparaison est toujours réalisée avec un placebo

☐ c) La dernière phase de l'essai clinique permet une observation à grande échelle

☐ d) L'ANSM et le CPP sont les institutions assurant l'autorisation des essais cliniques

Réponses aux QCM

QCM 1. a.
QCM 2. a, b, c.
QCM 3. b.
QCM 4. b, d.
QCM 5. b, d.
QCM 6. a, c.
QCM 7. b, d.
QCM 8. a, b, c.
QCM 9. c.
QCM 10. a, b, d.
QCM 11. a, b.
QCM 12. c, e.
QCM 13. a, b, e.
QCM 14. a, c, d.
QCM 15. a, c.
QCM 16. a.
QCM 17. a, d.
QCM 18. b, c, d.
QCM 19. a, c, d.
QCM 20. b, c, d.
QCM 21. b, c, e, f.
QCM 22. a, e.
QCM 23. a, b, c.

QCM 24. b, c, d.
QCM 25. b, c, d, e.
QCM 26. a, b, c.
QCM 27. a.
QCM 28. d.
QCM 29. b, c.
QCM 30. a.
QCM 31. a, b, d, e.
QCM 32. a, c, d.
QCM 33. b, d.
QCM 34. b, c, d.
QCM 35. a, b.
QCM 36. c, d, e.
QCM 37. a, b, c.
QCM 38. a, b.
QCM 39. a, c, e.
QCM 40. a, b, d, e.
QCM 41. b.

2) Entraînez-vous avec des QROC

Fiche 1

QROC 1. Une poudre d'amoxicilline sodique 2 g est d'abord dissoute dans 40 mL d'eau pour préparation injectable (eau PPI). Calculer sa concentration massique en mg/mL, dans une poche d'eau PPI de volume final ramené à 100 mL.

Fiche 2

QROC 2. Quelles sont les quatre grandes étapes de la pharmaco-cinétique ?

QROC 3. Quelle va être la conséquence de l'insuffisance rénale sur le mécanisme d'élimination des médicaments de l'organisme ?

Fiche 3

QROC 4. Citez les différentes cibles visées en pharmacologie.

Fiche 4

QROC 5. Quelle est la fonction du NaCl 0,9 % ? Quelle est sa propriété par rapport aux globules rouges de l'organisme ?

Fiche 5

QROC 6. Un médecin a prescrit du *Théralène sirop* (alimémazine) comme antitussif chez un enfant de 8 ans (p = 22 kg) à la posologie de 0,70 mg/kg/j en trois prises pendant quatre jours. Sachant que 5 mL de sirop contiennent 2,5 mg de principe actif, combien faut-il administrer de cuillères à café de 5 mL par prise à l'enfant ?

QROC 7. Vous devez administrer 4 g chlorure de potassium (KCl) sur 24 h à un patient en hypokaliémie. Vous avez à votre disposition des ampoules de 10 mL chlorure de potassium 10 % et une poche de 1 L de NaCl 0,9 % stérile. Combien d'ampoules de KCl allez-vous utiliser ?

Fiche 6

QROC 8. Définir le surdosage et décrire brièvement les actions que vous pourrez mener afin de prévenir le surdosage.

Fiche 8

QROC 9. Donner la définition d'un médicament à marge thérapeutique étroite ? Puis citez un exemple d'antibiotique concerné.

QROC 10. Citez la ou les voie(s) d'administration des anticorps monoclonaux anticancéreux possibles.

QROC 11. Citez l'un des évènements indésirables les plus couramment rencontrés avec les cytotoxiques.

Fiche 9

QROC 12. Citer quatre signes d'hypoglycémie.

QROC 13. Les ADO sont utilisés pour le traitement du diabète de type 2. Citez les classes d'ADO.

Fiche 11

QROC 14. Expliquez d'une part le mécanisme d'action commun à tous les diurétiques et citez le principal moyen de classer les diurétiques entre eux (en citant des exemples de principe actif).

Fiche 12

QROC 15. Citez un effet indésirable spécifique des IEC par rapport aux ARA II.

Fiche 19

QROC 16. Énoncer les informations obligatoires à rédiger sur une ordonnance pour réaliser une prescription IDE.

Fiche 21

QROC 17. Expliquez quels sont les risques avec les benzodiazépines et les antihypertenseurs pour un sujet âgé. Comment prévenir ces risques ?

Fiche 23

QROC 18. Pour quels médicaments un accord de soin spécifiquement destiné aux femmes en âge de procréer est-il indispensable ?

QROC 19. Quelles sont les caractéristiques d'une prescription d'un médicament stupéfiant ?

QROC 20. Expliquer l'intérêt des génériques et des biosimilaires dans la prise en charge des patients au niveau hospitalier.

Réponses aux QROC

QROC 1.
• 20 mg/mL.

QROC 2.
• Il s'agit de «ADME», c'est-à-dire absorption, distribution, métabolisation et enfin élimination. Pour rappel, l'absorption ne concerne pas les médicaments administrés par voie intraveineuse ou intra-artérielle.

QROC 3.
• Le rein est l'un des principaux organes participant à l'élimination des médicaments présents dans l'organisme. Lorsqu'il y a une situation d'insuffisance rénale, les médicaments qui habituellement sont éliminés par cette voie (ex. : les pénicillines, les aminosides, les AINS, les produits de contraste, etc.) le seront moins. Par conséquent si ces médicaments ont une marge thérapeutique étroite, leur accumulation dans l'organisme risque de se traduire par des signes de surdosage. *In fine*, c'est pour cela que la posologie de nombreux médicaments est à adapter selon le débit de filtration glomérulaire (DFG) qui un paramètre biologique reflétant l'insuffisance rénale.

QROC 4.
• ADN, ARN, enzymes, protéines de surface, protéines intracellulaires, récepteurs transmembranaire.

QROC 5.
• La fonction du NaCl 0,9 % est d'être le **solvant**. Le NaCl 0,9 % est **isotonique**, c'est-à-dire qu'il n'a aucune action sur les globules rouges (à la différence des solutés hyper ou hypotoniques).

QROC 6.
• 2 cuillères/prises.

QROC 7.
- 4.

QROC 8.
- Surdosage : dose excessive de principe actif par toxicité chronique ou aiguë.
- Actions : protocoles d'utilisations des médicaments/rappel des bonnes pratiques/informations et formation *via* les instances locales/formation personnelle et DPC/fiches signalétiques de rappel…

QROC 9.
- Un médicament est à marge thérapeutique étroite lorsque la concentration plasmatique lui permettant d'être efficace est très proche de la concentration le rendant toxique. C'est notamment le cas des aminosides.

QROC 10.
- Voie sous cutanée ou voie IV.

QROC 11.
- Nausées/vomissements/alopécies/anémie/infections/asthénie.

QROC 12.
- Sueurs, tremblements, confusion, asthénie, coma.

QROC 13.
- Les analogues du glucagon-like-peptide-1 (GLP1), les biguanides, les inhibiteurs des α-glucosidases, les inhibiteurs de la dipeptidylpeptidase-4 (DPP-4) et les sulfamidés hypoglycémiants (les glinides).

QROC 14.
- Tous les diurétiques ont pour mécanisme d'action de favoriser l'élimination du sodium dans le compartiment urinaire (soit en favorisant son passage du sang vers les urines, soit en empêchant sa réabsorption des urines vers le sang). En effet l'eau suit toujours le sodium. L'accumulation de sodium dans les urines va donc entraîner une accumulation d'eau dans les urines, d'où l'effet diurétique de ces médicaments.
- On classe schématiquement en deux groupes : ceux qui peuvent provoquer une hypokaliémie (ex. : furosémide) et ceux qui peuvent au contraire provoquer une hyperkaliémie (ex. : spironolactone).

QROC 15.
- Les IEC et les ARA II ont les mêmes effets indésirables sauf la toux qui est spécifique des IEC. Cette toux est liée à l'accumulation de bradykinine qui est un médiateur normalement dégradé par l'enzyme de conversion.

QROC 16.
- Identité de l'infirmier prescripteur, numéro d'identification et signature, identité du patient (nom, prénom, sexe, âge, poids), date de l'ordonnance, nom des dispositifs médicaux prescrits.

QROC 17.
- Ces médicaments peuvent provoquer des chutes (par hypotension orthostatique : antihypertenseurs ; par altération de la vigilance : benzodiazépines).
- Les posologies doivent donc être revues régulièrement. Lors de l'initiation des traitements, il faut préférer une faible dose et une augmentation de posologie par pallier si nécessaire.

QROC 18.
- Médicaments avec acide valproïque et mycophénolate.

QROC 19.
- Prescription faite sur une ordonnance sécurisée. Le médecin doit écrire en toutes lettres : la quantité prescrite, les unités thérapeutiques par prise, les doses ou les concentrations de substances, etc. Il doit également compléter le cadre situé en bas à droite de l'ordonnance en écrivant le nombre de spécialités médicales qu'il a prescrit sur cette ordonnance.
- Il doit renseigner l'identité du patient et son identité comme sur une autre ordonnance.

QROC 20.
- Coûts et dépenses sanitaires diminués/mise à disposition plus large de médicaments/amélioration globale des prises en charges annexes.

3) Entraînez-vous avec des calculs de dose

Fiche 8

▶ Calculs de dose 1, 2 et 3

Vous devez administrer l'amoxicilline à un patient selon la prescription du médecin.

Pour effectuer votre préparation vous disposez des informations suivantes :

- la prescription du médecin est : amoxicilline à la posologie de 750 mg, 3 fois par jour. Médicament à administrer en perfusion de 8 heures avec une poche de 250 mL à l'aide d'une pompe à perfusion ;
- le médicament disponible à la pharmacie de l'établissement est : amoxicilline en flacon de 1 g (destiné à l'administration intraveineuse) ;
- le RCP du médicament dit « … dissoudre 1 g dans 20 mL d'EPPI… ».

1. Calcul de dose 1 : comment faites-vous en pratique pour préparer la poche contenant 750 mg de médicament ?

2. Calcul de dose 2 : vous devez paramétrer la pompe à perfusion. Quel débit allez-vous fixer sur la pompe pour appliquer la prescription médicale en mL/h et en mL/min ?

3. Calcul de dose 3 : un collègue IDE d'une autre équipe vous signale que l'amoxicilline est stable dans le NaCl 0,9 % pendant 8 heures si sa concentration ne dépasse pas 4 g/L. Qu'en pensez-vous : votre préparation est-elle stable ?

Fiche 10

▶ Calculs de dose 4 et 5

Vous êtes en poste dans le service de cardiologie. Le médecin souhaite anticoaguler le patient avec de l'héparine sodique à la posologie de 20 UI/kg/h. Il veut que le solvant soit du glucose 5 %. Vos collègues du service vous expliquent que l'héparine sodique se passe en pousse-seringue électrique (PSE) avec un changement de seringue toutes les 12 heures.

Le patient fait 67 kg et vous disposez d'héparine sodique en flacon de 25 000 UI/5 mL et de poches de glucose 5 % de 50 mL.

4. Comment procédez-vous pour préparer la seringue de telle sorte que tout le volume de la seringue soit administré sur 12 heures ? La seringue du PSE fait 50 mL.

5. Quel sera le débit du PSE en mL/min ?

▶ Calcul de dose 6

Vous êtes IDE en service de réanimation. Le médecin prescrit de l'héparine sodique à la posologie de 500 UI/kg/j pour un patient de 75 kg. Le solvant est du NaCl 0,9 % et l'administration se fait en PSE.

Vos collègues vous informent que sur l'établissement il existe un protocole de préparation « standard » qui consiste d'une part à changer la seringue de 50 mL toutes les 12 heures et d'autre part à préparer chaque seringue avec l'intégralité du contenu du flacon d'héparine de 25 000 UI/5 mL.

Comment faites-vous la préparation et l'administration (réglage du débit de la PSE) ?

Fiche 15

▶ Calculs de dose 7 et 8

Le médecin prescrit Célestène 0,03 mg/kg/j en gouttes buvables, à administrer en une seule prise par jour. Le patient pèse 35 kg.

La pharmacie de l'établissement où vous exercez a du *Célestène* en gouttes buvables à 0,05%, flacon de 30 mL.

Vous savez après avoir lu le RCP que « 1 goutte contient 12,5 µg » de principe actif et que « 1 200 gouttes correspondent au flacon de 30 mL ».

7. Combien de gouttes allez-vous administrer au patient ?

8. Combien de mL allez-vous administrer au patient ?

Fiche 16

▶ **Calculs de dose 9, 10, 11, 12 et 13**

Vous travaillez en orthopédie. Le patient dont vous vous occupez dispose d'une seringue PCA de morphine (*patient controlled analgesia*) pour traiter sa douleur.

La prescription de la PCA est la suivante :

• débit continu de 100 mg de morphine/24 heures ;

• avec possibilité de bolus géré par le patient de 2 mg, avec une période réfractaire de 30 minutes.

La morphine se présente sous la forme d'ampoule de 50 mg/5mL, 100 mg/10 mL et 200 mg/10 mL.

La PCA de morphine doit être préparée avec une concentration de 1 mg/mL et le volume total de la PCA est 50 mL. Le solvant dont vous disposez est du NaCl 0,9 %.

9. Quelle est la posologie maximale de morphine du patient dans une journée.

10. Devez-vous utiliser un solvant pour préparer votre seringue ?

11. Comment faites-vous pour préparer votre première seringue ?

12. Quel est le débit en mL/heure du débit continu de la PCA ?

13. Si le patient est très douloureux, la seringue sera-t-elle terminée au bout de 4 heures de perfusion type PCA ?

Réponses aux calculs de dose

1.

• Prendre 20 mL d'EPPI avec une seringue.

• Injecter les 20 mL d'EPPI dans le flacon d'amoxicilline de 1 000 mg → vous obtenez une solution de 1000 mg d'amoxicilline dans 20 mL.

• Vous avez besoin de 750 mg d'amoxicilline → soit 15 mL de la solution.

• Prendre ensuite une poche de 250 mL de NaCl 0,9 % et retirer 15 mL de cette poche.

• Injecter les 15 mL de la solution d'amoxicilline dans la poche de NaCl 0,9 % → vous obtenez ainsi une poche de volume final 250 mL et contenant 750 mg d'amoxicilline.

2.

• Soit 250 mL/8 heures = 31,25 mL/h.

• Soit 31,25/60 = 0,52 mL/min.

3.

- Votre poche est composée de la manière suivante : elle contient 750 mg de principe actif pour un volume total de 250 mL.
- La concentration de l'amoxicilline dans la poche est donc de 750/250 = 3 mg/mL.
- La concentration maximale est de 4 g/L, soit 4 000 mg/1 000 mL, soit 4 mg/mL.
- La concentration de la poche étant inférieure, la poche est stable sur 8 heures.

4.

- D'abord il faut calculer la posologie journalière à administrer : soit 20 UI × 67 kg × 24 heures = 32 160 UI.
- Ensuite il faut se rappeler que la seringue est changée toutes les 12 heures. Chaque seringue devra donc contenir 16 080 UI.
- La consigne est que « tout le volume de la seringue doit être administré sur 12 heures ». Donc la seringue doit contenir 16 080 UI d'héparine sodique. Un flacon de 5 mL d'héparine contient 25 000 UI. Il faut donc prélever 3,216 mL. Arrondissons à 3,2 mL.
- L'IDE doit donc prélever 3,2 mL d'héparine à partir du flacon 25 000 UI/5 mL.
- L'IDE doit ensuite compléter cette seringue jusqu'à un volume total de 50 mL avec du glucose 5 %. L'IDE doit donc rajouter 46,8 mL de solvant.

5.

- La seringue doit être administrée en 12 heures et son volume est de 50 mL.
- Le débit est donc de 50 mL en 12 heures soit 50/1 2 = 4,16 mL/h, soit 0,069 mL/min.

6.

- Vous devez préparer une seringue de 50 mL qui contient l'intégralité du flacon d'héparine soit 25 000 UI. Vous prenez donc les 5 mL du flacon d'héparine avec votre seringue de 50 mL.
- Vous complétez cette seringue jusqu'à 50 mL avec du NaCl 0,9 %, soit avec 45 mL de solvant. La concentration de la solution d'héparine est donc 25 000 UI dans 50 mL soit c° = 500 UI/mL
- La posologie journalière est de 500 UI/kg/j et le poids du patient est de 75 kg. Le patient doit donc recevoir chaque jour : 500 × 75 = 37 500 UI/j, soit 18 750 UI en 12 heures car la seringue doit être changée toutes les 12 heures.
- Une dose de 18 750 UI correspond donc à 18 750/500 = 37,5 mL de la solution d'héparine préparée dans la seringue de 50 mL.
- Le débit du PSE doit donc être réglé pour perfuser 37,5 mL en 12 heures, soit 3,125 mL/heure, soit 0,052 mL/min.

7.

- La posologie du patient est 0,03 mg/kg/j. Le patient pèse 35 kg. La dose totale journalière est donc 1,05 mg.
- Une goutte contient 12,5 µg de principe actif. Le nombre total de goutte pour traiter le patient est donc de 1 050 µg/12,5 µg, soit 84 gouttes.

8.

- 1 200 gouttes correspondent à 30 mL → donc 84 gouttes correspond à 2,1 mL.

9.

- La posologie maximale est celle de la perfusion continue à laquelle il faut ajouter les bolus (au maximum 2 bolus par heure). Soit 100 mg + 2 mg × 2 × 24 = 196 mg/j.

10.

- Oui car les ampoules de morphine disponibles ont une concentration de 10 mg/mL ou 20 mg/mL. Or il faut au final une concentration de 1 mg/mL.

11.

- La concentration doit être de 1 mg de morphine/mL et le volume de la seringue est de 50 mL.
- Il faut donc que la seringue contienne 50 mg de morphine.
- Vous devez prendre 1 ampoule de morphine 50 mg dont le volume est de 5 mL. Prélevez les 5 mL, soit les 50 mg de morphine et compléter avec 45 mL de NaCl 0,9 %. Vous obtenez 50 mL de solution de morphine contenant 50 mg de ce principe actif.

12.

- Le débit continu est de 100 mg/24 heures selon la prescription médicale. Or votre seringue contient 50 mg de morphine dans 50 mL. Vous allez donc devoir régler le débit de telle sorte que les 50 mL soient administrés en 12 heures, soit 4,16 mL/h.

13.

- En 4 heures : le patient s'est injecté au maximum 8 bolus, soit 16 mg de morphine.
- Ces 16 mg sont à rajouter au débit continu qui est demandé par le médecin à savoir 100 mg/24 h, donc 100/6 = 16,66 mg (en 4 heures).
- La dose totale maximale que recevra le patient en 4 heures est : 16 mg de bolus auto-administrés + 16,66 mg de perfusion continue = 32,6 mg.
- La seringue contenant 50 mg, elle ne sera pas terminée.

Elsevier Masson S.A.S
65, rue Camille-Desmoulins,
92442 Issy-les-Moulineaux Cedex
Dépôt légal : août 2018

Composition : SPI

Imprimé en Pologne par Dimograf